Vorck,

Die Druckkunst und
Leipzig

Vorck, Carl B

Die Druckkunst und der Buchhandel in Leipzig

Inktank publishing, 2018

www.inktank-publishing.com

ISBN/EAN: 9783750120884

Die Druckkunst

und

Der Buchhandel in Leipzig

durch

Vier Jahrhunderte.

Zur Erinnerung
an die Einführung der Buchdruckerkunst in Leipzig 1479 und an die
dortige Kunstgewerbe-Ausstellung 1879

von

Carl B. Lorck.

Leipzig

Verlagsbuchhandlung von J. J. Weber

1879

Vorbemerkung.

Nicht gerade den kleinsten Theil des Ansehens, dessen Leipzig in der ganzen civilisirten Welt genießt, verdankt es seiner Stellung als Metropole der deutschen Typographie und des deutschen Buchhandels; denn eine solche ist es in Wahrheit geworden.

Es war deshalb natürlich, daß diejenigen Männer, welche den Gedanken faßten und ausführten, in Leipzig eine Kunstgewerbe-Ausstellung des Königreichs Sachsen, der Thüringischen Staaten und der Preußischen Provinz Sachsen zu veranstalten, einen besonderen Werth auf die Betheiligung seitens der graphischen Gewerbe und des Buchhandels legten.

An den Unterzeichneten erging die Aufforderung, seine Kräfte der graphischen Ausstellung zu widmen. Er mußte es, so Vieles auch dagegen sprach, für eine Pflicht erachten derselben Folge zu leisten. Es gelang ihm einen Kreis Gleichgesinnter, zum Theil dieselben Collegen, die mit ihm zusammen die graphische Ausstellung für Philadelphia durchgeführt hatten, zu veranlassen, sich als Comité für die Gruppe der graphischen Künste zu constituiren. Nach Kräften wurde gewirkt, damit die Ausstellung eine möglichst allgemeine und Leipzigs Stellung charakterisirende werde. Von fast allen Seiten fand das Comité bereitwilligstes Entgegenkommen; von einigen wenigen jedoch die abweisende Haltung, die so entmuthigend wirkt, wenn es sich um die Förderung eines allgemeinen Zweckes handelt. Die Ausstellung konnte deshalb nicht ganz ohne Lücken bleiben, wenn sie auch im Großen und Ganzen den Zweck erfüllt.

Das Comité hatte die Ausführung eines weitergehenden Planes ins Auge gefaßt. Die Kunstgewerbe-Ausstellung fiel mit der 400jährigen Einführung der Buchdruckerkunst in Leipzig so gut wie zusammen (etwas ganz Genaues läßt sich nicht feststellen). Es schien deshalb erwünscht, die Entwickelung der Buchdruckerkunst in Leipzig historisch vorzuführen und zugleich zum Vergleich mit den Leipziger Preßerzeugnissen und zur Belehrung für die Jetztwirkenden eine Anzahl von Büchern, Illustrationen und Bucheinbänden aus den bedeutendsten älteren deutschen Druckstätten: Basel, Straßburg, Augsburg, Nürnberg u. s. w. zur Anschauung zu bringen. Dank dem ausnahmslos wohlwollenden Entgegenkommen der betreffenden Autoritäten und Privatpersonen, den besonderen Bemühungen des Bibliothekars Dr. Wustmann, sowie der Opferbereitwilligkeit des geschäftsführenden Ausschusses für die Ausstellung wurde die Aufgabe gelöst. Die dazu bewilligte wahrhaft schöne Räumlichkeit erhielt noch einen für Fachgenossen besonders interessanten Wandschmuck durch die Porträts einer Anzahl von den in Leipzigs Druckgeschichte renommirten verstorbenen Persönlichkeiten in Original-Oelgemälden oder in Büsten.

Das tägliche Beschäftigtsein mit der Ausstellung mußte unwillkürlich den Wunsch bei dem Unterzeichneten rege machen, durch das gedruckte Wort gleichsam einen zusammenfassenden Rahmen für die vielen Einzelnheiten aus der Vergangenheit und der Jetztzeit, welche den Augen des Ausstellungs-Besucher entgegentreten, zu schaffen und die vorhandenen Lücken wenigstens auf dem Papier zu ergänzen. Bereits früher hatte er in den von ihm herausgegebenen „Annalen der Typographie" eine Anzahl von Skizzen geliefert, welche die Drucker- und Verleger-Geschichte Leipzigs bis zum Jubeljahre 1540 zum Vorwurf hatten. Der Gedanke bot sich von selbst dar, diese Skizzen zu einem Ganzen zusammenzufügen und für den Zeitpunkt von 1840 bis auf heute zu vervollständigen.

So entstand diese Gelegenheitsschrift. Sie enthält keine mühsamen Resultate eigener Quellenforschung, sondern berichtet nur in Kürze Das, was Andere bereits kritisch festgestellt haben, oder was in der Periode von 1836 ab bis auf den heutigen Tag sich unter den Augen des Herausgebers vollzog. War der Wunsch, einen raschen Ueberblick der Vergangenheit und der Gegenwart sowie eine nützliche Anregung für die Zukunft zu geben, größer als die Kraft dazu, so bittet um nachsichtige Beurtheilung

Leipzig, am Johannistage 1879.   Carl B. Lorck.

Inhalt.

8

Ein Blick in die Zukunft.

Die Vergangenheit.

1479—1840.

I.

Von der Einführung der Buchdruckerkunst
in Leipzig
bis zum dritten Jubelfeste der Erfindung derselben.

1479—1740.

ie überhaupt die Entstehungsgeschichte der über Alles
Licht verbreitenden Kunst trotz aller Forschungen, die
manche Punkte aufgehellt haben, doch noch vielfach in ein
Dunkel gehüllt ist, das ganz aufzuklären schwerlich je
gelingen wird, so ist dies insbesondere auch mit den
Anfängen der Kunst in Leipzig der Fall. Es ist das um so räthselhafter,
als diese Stadt ziemlich spät ihre erste Druckerei erhielt, zu einer Zeit,
wo eine Reihe von Städten sowohl Deutschlands als des Auslandes
schon auf ein bedeutendes Stück Buchdruckergeschichte zurückblicken
konnte und bereits nicht wenige Meisterwerke der neuen Kunst hervorgebracht hatte.

Leipzig, das eine so wichtige Rolle in der Geschichte der Typographie
spielen sollte, war nicht einmal die erste Stadt Sachsens, welche die
Kunst in ihren Mauern aufnahm, denn es giebt bereits Bücher aus dem
Jahre 1473 mit dem Druckorte Merssburg. Die Behauptung, daß dies
nicht Merseburg sei, sondern Mörsburg am Bodensee, hat sich längst
als unbegründet erwiesen.

1 *

Andr. Frisner   Die erste Persönlichkeit, von der man weiß, daß sie eine Druckerei nach Leipzig gebracht habe, ist ein gelehrter Mann Andreas Frisner. Er war der Sohn eines Rathsherrn in Wunsiedel, studirte in Leipzig und begab sich später nach Nürnberg, wo er bei dem berühmten Buchdrucker Johann Sensenschmid als Corrector fungirte. Später druckte er in Gemeinschaft mit Sensenschmid und legte dann eine eigene Druckerei in Nürnberg an. Im Jahre 1479 wurde er als Professor der Theologie nach Leipzig berufen, wo er 1482 die Ehrenstelle eines Rectors der Universität bekleidete. Seine Druckerei ließ er nach Leipzig kommen. Es unterliegt trotzdem einem Zweifel, ob das 1481 gedruckte Buch: Ioannis Anii Viterbiensis Glossa super Apocalypsim seiner Officin entsprungen ist; und ein Druck mit seinem Namen ist überhaupt nicht aufzuweisen. Frisner wurde später vom Papste Julius II. als Papae et sedis apostolicae primarius ordinarius nach Rom berufen, wo er 1504 starb. Seine Presse vermachte er dem Predigerconvent zu Leipzig; seiner Vaterstadt Wunsiedel 56 Bücher, darunter das von ihm in Nürnberg gedruckte Werk Historia Lombardica. In dem Katalog der Wunsiedeler Bibliothek, welche übrigens gegen 1740 ein Raub der Flammen wurde, wird Frisner durch folgenden poetischen Erguß des Stadtschreibers zu Wunsiedel, Herrn M. Zeidler, geehrt:

Mit 56 Bücher die Lieberey angefangen war,
Von dem Hochberühmten Herrn Andre Frißner,
Der heiligen Schrifft Bekenner und Lehrer,
Als er war Päbstl. und Röml. Stuhls zu Rom,
Erwehlter Diener von Wunsiedel dahin kom,
Sein Vaterland damit geehrt,
Damit das künftig ward gemehrt.
Zwanzig Golden daneben testirt,
Und daß mit Gebenden nit wirde geirrt,
Thar er dem Rath und Freundschafft befehln,
Ihr Pflicht und Gunst daraus zu lern,
Die Gebäude also zu regirn,
Und fleißig daneben sollicitirn,
Daß dieselben gebracht zum End
Mit Hülff und geben milder Händ.
Ist angefangen im 1518 Jahr
Mit eytel frohn Arweit und Bettel für wahr
Auferbaut, vollendt und zugericht
Im Jahr 1522 habe ich gesehn und bericht.

Von dem zweiten bekannten Buchdrucker Leipzigs „Marcus Brand Marc. Brand oder Brander ist ein Buch: Tractatulus de Regimine hominis aus dem Jahre 1484 auf die Jetztzeit gekommen. Ein „Moritz Brandis M. Brandis (1488—98) ist früher für identisch mit ihm gehalten worden. Moritz Brand druckte 1488 ein Heldengedicht eines damals hochgeschätzten Dichters Priamus Capocius Siculus: Fridericus ab Fridericum Saxoniae ducem ob dictum Adolphum Imperatorem Suevicum 2c. — Aus dem Jahre 1489 stammt die, ohne Angabe eines Druckers erschienene zweite, sehr seltene, Ausgabe der niedersächsischen Uebersetzung des Sachsen- spiegels. Konrad Kachelofen, der lange Zeit für Leipzigs ersten Buch- K. Kachelofen drucker galt, wirkte von 1489 ab, in welchem Jahre er Joh. Widmanns von Eger: Behende vnd hübsche Rechnung auf allen kauffmanschaft, ein Lehrbuch der elementaren Mathematik, in welchem auch einfache Holzschnitte vorkommen, druckte. Kachelofens Thätigkeit war eine bedeu- tende; eine ausgezeichnete Leistung war das im Jahre 1495 gedruckte Meißner Missale. Im Jahre 1495 zog er der Pest wegen nach Freiberg. Die Leipziger Stadtbibliothek besitzt jedoch einen Druck von ihm, datirt Leipzig 1513.

Als Mann von Geschmack ist „Martin Landsberg (Martinus M. Landsberg Herbipolensis, b. h. aus Würzburg, 1499—1516) zu erwähnen. Er gehörte zu den gelehrten Buchdruckern, interessirte sich sehr für die Herausgabe wissenschaftlicher Werke und machte sich namentlich durch seine Classiker-Ausgaben bemerkbar. Sein erstes Druckwerk war ein Büchlein des bekannten Ablaßpredigers Joh. de Palz: das Büchlein wird genant die hymelisch Fundtgrub. Einer seiner letzten Leipziger Drucke war dagegen: Außlegung deutsch des Vatter unser furr die einfeltigen leyen Doctoris Martini Luthers, Augustiner zu Wittenbergk 1519, in welchem Jahre er Leipzig verließ und nach Halle übersiedelte.

Wolfgang Stöckel (Molitor) aus München ward in Erfurt, W. Stöckel wo er eine Zeitlang eine Buchdruckerei hatte, Baccalaureus. 1495 kam er u. a. nach Leipzig und wirkte dort bis 1523. Er druckte hauptsächlich Classiker: Ovid, Priscian, Seneca, Aristoteles, später theologische Schriften, von denen die bis zum Jahre 1520 gedruckten Partei für Luther nahmen, zum Theil von diesem verfaßt waren. Von da ab wurde er ein hef- tiger Gegner der Reformation und druckte schon in dem Jahre 1520 eine Streitschrift des Franziscaner Alveld, eines der erbittertsten Gegner Luthers; wahrscheinlich ist er auch der Drucker der Schriften Emser's gegen Luther. Herzog Georg der Bärtige rief ihn 1524 als Hofbuch- drucker nach Dresden. 1516 wurde das erste griechische Buch gedruckt V. Schumann von Valentin Schumann (1516—1535), der auch 1520 Hebräisch

J. Thanner mittelst hölzerner Typen lieferte. Durch seine vorzüglichen Schul-Ausgaben der Classiker machte sich Jakob Thanner (Ablegnus) aus Würzburg (1498—1528) bekannt.

Charakter der Buchdruckereien Ueberhaupt trat die Kunst in Leipzig sofort in den Dienst der Wissenschaft und der Aufklärung und ist ihnen bis auf den heutigen Tag eine treue Dienerin geblieben. Die Zeit der Donate, der Armenbibel, der Hellspiegel und ähnlicher für die ersten Bildungsstadien berechneter Gebet- und Bilderbücher war vorbei; kunstbegeisterte Fürsten und Künstler ersten Ranges besaß Leipzig nicht und hat deshalb nicht aus seiner Incunabelnzeit einen Theuerdank oder ein ähnliches Kunstwerk aufzuweisen. Schule und Universität waren die Mäcene seiner Buchdruckereien. Leipzigs Classiker-Ausgaben zeichneten sich durchgängig durch ihre Sauberkeit und Genauigkeit aus, und viele davon stehen noch heute neben den Aldinen und Juntinen in Ansehen. Gelehrte Männer verschmähten es nicht, die Correctur zu übernehmen, und Leipzig hat es verstanden bis auf den heutigen Tag, sich den Ruhm der Sorgsamkeit für die Reinheit seiner Preßerzeugnisse zu bewahren.

Melch. Lotter Auch die Reformation fand in den Buchdruckern und Buchhändlern Leipzigs eine bereite Hülfe. Unter diesen nimmt Melchior Lotter (Lotther) einen hervorragenden Platz ein. Er stammte aus Aue im sächsischen Vogtlande, heirathete die Tochter Kachelofens, Dorothea, und erhielt am 16. Juni 1498 das Leipziger Bürgerrecht. Ungefähr seit dem Jahre 1500 wurde er der Geschäftsnachfolger seines Schwiegervaters. Die zweite Ausgabe des bereits erwähnten Meißner Missale druckten Kachelofen und Lotter gemeinsam, und von nun an ging eine große Anzahl Missalien, Breviarien und dgl. aus Lotters Pressen hervor, die das Bisthum Meißen herausgab. Lotter selbst siedelte, vor der Pest in Leipzig fliehend, für eine Zeit lang nach Meißen über. Seine eigene Verlagsthätigkeit auf dem Gebiete der Philosophie und der Philologie war eine außerordentliche. Ein treuer wissenschaftlicher Mitarbeiter war ihm Hermann Tulich, der später Professor in Wittenberg wurde. Seit 1518 hatte Lotter wiederholt für Luther Druckaufträge bekommen und dieser bewog ihn, eine Druckerei in Wittenberg anzulegen, woraus jedoch Lotter kein Segen erwachsen sollte. Selbst übersiedelte er jedoch nicht nach Wittenberg, sondern sandte seine beiden Söhne Melchior und Michael. Zum großen Theil sind die zahlreichen Schriften Luthers, die er im Anfang der zwanziger Jahre in die Welt sandte, aus den Lotterschen Pressen entstanden, während man früher Hans Lufft als ersten Drucker Luthers betrachtete. Selbst das Monumentalwerk des Reformators, die Bibelübersetzung, wurde von Lotter

unternommen und schon am 21. September 1522 war der Druck des
Neuen Testaments vollendet. Während des Drucks des Alten Testaments
tritt jedoch ein Erkalten des freundschaftlichen Verhältnisses Luthers
zu Lotter ein und Hans Lufft erscheint nun als der bevorzugte Bibel-
drucker, wenngleich die Verbindung zwischen Luther und Lotter nicht
ganz aufhörte. Der Grund, weshalb der letztere von dem ersteren fallen
gelassen wurde, und weshalb auch der Kurfürst Friedrich ihm ungnädig
wurde, ist nicht bekannt. Lotters Thätigkeit, die jedoch sehr erlahmte,
läßt sich noch bis Ende der dreißiger Jahre nachweisen. Er soll im
Jahre 1542 gestorben sein.

Als mit Luthers Namen eng verknüpft erwähnen wir hier noch N. Wolrab
zwei Leipziger Buchdrucker. Der erste, Nicolaus Wolrab (1539), hat
sich durch die Schriften, die er gegen Luther druckte, eine gewisse
Berühmtheit erworben. Als guter Praktiker verschmähte er es aber doch
nicht, Luthers Bibel nachzudrucken. Der zweite, Urban Ganbisch, u. Ganbisch
war aus einem Augustinerkloster zu Großenhain entflohen und wurde
von Luther bei Jac. Berwald in Leipzig in die Lehre gebracht, wo er
sich nach längeren Reisen (1551—1555) niederließ. Bald wurde er
jedoch nach Eisleben berufen, wo er Luthers Schriften druckte und erst
1592, neunzig Jahre alt, starb. Daß es nicht ohne Gefahr war, für
seine religiösen oder politischen Ansichten einzutreten, beweist das Beispiel des Nürnberger Buchführers Hans Herrgott, dem der Herzog
Georg 1524 auf dem Markte zu Leipzig den Kopf abschlagen ließ.

Obwohl die Druckerthätigkeit in Leipzig, wie aus Obigem hervor- Die erste
geht, schon eine bedeutende war und Leipzig vor dem Jahre 1500 über 1540
150 datirte Drucke, von 1500 bis 1517 über 250 dergleichen, abgesehen
von über 100 constatirten Drucken ohne Datum, aufweisen kann, so
hatte es doch bei der ersten Säcularfeier noch nicht eine solche Bedeutung
erlangt, daß es als Vorort die Feier selbständig begehen konnte. Die
Kunstjünger Leipzigs gingen nach Wittenberg, um das Fest mitzufeiern,
welches die dortigen Buchdrucker, mit Hans Lufft an der Spitze, veranstaltet hatten.

In Folge der Reformation war der Schwerpunkt der Cultur immer Leipzigs
mehr nach dem Norden verlegt. Hier wehte eine frischere Luft, während Büchermärkte
der Süden viel mehr dem Einfluß der katholischen Kaiser, den Ein-
flüsterungen des Klerus und den Plackereien der kaiserlichen Bücher-
commissarien und Censoren preisgegeben war. Möglicherweise haben

auch die städtischen Behörden Frankfurts nicht genügend den Werth des vollständig unbelästigten buchhändlerischen Verkehrs anerkannt. Nichts war deshalb natürlicher, als daß der Norden sich von den Büchermessen Frankfurts zu emancipiren und in der berühmten Meßstadt des Nordens — wo die Regierung jetzt liberaleren Ansichten huldigte, die Censur in humanerer Weise üben ließ und die Bücher von der Accise befreit hatte — einen selbständigen Büchermarkt zu gründen wünschte. Zur Michaelis-Messe 1594 erschien der erste Leipziger Meßkatalog, herausgegeben von dem Buchhändler und Buchdrucker Henning Groß, zu dem sich in den Jahren 1598—1619 ein zweiter Katalog von Abraham Lamberg gesellte, der 1620 mit dem Groß'schen vereinigt wurde. Zwar konnte Leipzig als Verlagsplatz im Jahre 1595 nur 68 Artikel gegen 117 in Frankfurt aufweisen, aber schon 1600 war das Verhältniß ein besseres, nämlich 125 gegen 148, und 1632 trug Leipzig einen glänzenden Sieg davon mit 221 Werken gegen 68 aus Frankfurt. Die Meßkataloge von 1565—1640 verzeichnen 8216 in Leipzig erschienene Werke, davon kamen 243, als die stärkste Zahl einer Jahresproduction, auf das Jahr 1613.

Ansehnlich war die Reihe der bedeutenden Buchdrucker und Buchhändler Leipzigs aus dieser Periode. Ein Buchdrucker ersten Ranges war Valentin Bapst (1541—1589). Seine Erzeugnisse werden von Kennern als den besten ebenbürtig erklärt, ja Breitkopf nimmt nicht Anstand, einen von ihm gedruckten Katechismus dem Fust' und Schöffer'schen Psalterium an die Seite zu stellen, während die Classiker-Ausgaben seines Schwiegersohnes Ernst Vögelin (1559—1578), sowohl hinsichtlich der technischen Ausführung als der Correctheit, den Albinen gleichgeachtet werden. Vögelin, ein studirter Mann, wurde in Religionsstreitigkeiten verwickelt, flüchtete und starb in Heidelberg 1590. Großen Ruf erwarben sich Abraham Lamberg (1587—1629), Henning Groß (1575—1621), Gregorius Ritzsch (1624—1643) und dessen Sohn Timotheus Ritzsch (1638—1678).

Aber der Rückschlag der ungünstigen Zeiten sowohl für den Buchhandel als für die Buchdruckerei konnte nicht ausbleiben und Leipzig litt mit ganz Sachsen vorzugsweise unter den Drangsalen des dreißigjährigen Krieges. Mangelhafte Schriften, nachlässige Correctur, schlechtes Papier kennzeichnen die Mehrzahl der Bücher aus damaliger Zeit. Nicht besser war es mit der Xylographie bestellt. Hiergegen halfen natürlich weder Beschränkungen der Buchdruckereien auf Leipzig, Wittenberg und Dresden, noch kurfürstl. concessionirte Buchdruckereiordnungen, Taxen zur Regulirung der Papier- und Bücherpreise und Visitations-

abschiede an die Universitäten, worin Rector und Decane ermahnt
werden, für guten Druck und sorgfältige Correctur zu sorgen.

Von der Zucht und Ordnung in den Druckereien der guten alten
Zeit bekommt man ebenfalls keine großen Begriffe, wenn man die
Rescripte liest, worin den Gesellen eingeschärft wird, dem Herrn gebühr-
liche Ehre und Gehorsam zu erzeigen, ihm nicht widersetzig zu sein, viel
weniger mit thatsächlicher Gewalt sich an ihm zu vergreifen. Ferner
werden sie ermahnt, „das fluchen, Gott lästern, Andere zur Bank
hauen zu unterlassen; Abends nicht mit Ungestüm anzuklopfen,
jauchzen, Geschrey zu tumultuiren, nicht die Wehren zu zücken; das
liederliche Feiern, mehrentheils am des unchristlichen Saufens,
Schwelgens und Collisirens willen, sowie das Abhalten heimlicher
Conventicula behufs des Aufwiegelns anderer Gesellen, einzustellen."

Trotz aller der Drangsale, unter welchen Leipzig litt, rüstete es
sich doch zum selbständigen Begehen des zweiten Säcularfestes. Zugegen
waren die Vertreter von fünf Buchdruckereien, nämlich: Gregorius
Ritzsch, Joh. Alb. Mintzelius, Henningus Köler, Timotheus Ritzsch
und Friedrich Langisch' Erben mit elf Gehülfen und drei an diesem
Tage losgesprochenen Lehrlingen, unter welchen sich der später bekannte
Dresdener Buchdrucker Gimel Bergen befand. Als die Frucht der
Anstrengungen der vereinigten Buchdrucker erschien eine besondere Jubelschrift, deren Ausstattung allerdings das oben Gesagte voll bestätigt.

Das Fest selbst konnte unter den geschilderten Verhältnissen selbstverständlich kein unbedingtes Freuden= und Jubelfest sein. Gottfr.
Stark, Conrector der Nikolaischule, hielt eine historische Festrede und
Professor Johannes Höpner seine Festpredigt: de Calcographia, wie die
Buchdruckerkunst noch damals oft übersetzt wurde. Höpners Rede endigt,
wie alle die andern Reden und Gedichte, mit der Bitte um den Frieden
und entwirft von dem Zustande der Buchdruckerei und des Buchhandels
folgendes trübe Bild:

„Wie aber in dem jetzigen Kriegswesen der Stand der Gelehrten,
die Kirchen, Schulen und Universitäten gedruckt und ruinirt werden,
welches doch nicht seyn sollte, wenn wir anders glückselig kriegen wollen!
Also wird auch diese Druckerkunst und alles, was mit Pappier und
Büchern handelt, gedruckt und merklich gehindert, und geschiehet dadurch
der werthen Posteritet ein unüberwindlicher Schade, welchen man jetzt
nicht merket, aber man wird es wol gewahr werden. Wie viel Pappier-
Mühlen sind verwüstet worden! und weil der Bücher Verlag nicht mehr

erfolget, so bleiben sehr viel nützliche vnd nöthige Werk liegen, damit
den Kirchen vnd allen Ständen der Christenheit mercklich könte gerathen
vnd geholffen werden. In Summa, der Schade ist nicht auszusprechen,
welchen der verderbliche Krieg verursachet, dadurch Kirchen, Schulen,
vnd Vniversitäten verwüstet werden, alle Gesetze vnd gute Ordnungen
werden zerrüttet, vnd wird das oberste zu vnterst gekehret, auch alle
Nahrung vnd Handlung zu Boden geworffen. Darumb sollen wir Gott
desto ernstlicher vmb den lieben Frieden anruffen."

Die Jubelgedichte versuchen zwar einen heiteren Ton anzustimmen;
so heißt es unter andern in dem Drucker-Zäuner-Tantz:

So singen wir mit Frewden-Schall
  Die Gänse-federn an,
Vnd preisen, was Gott überall
  An vns durch sie gethan.
Die Gans ist reich, jhr Bert ist weich,
  Jhr Nest ein Heer,
Der Federn noch viel mehr.
  Dadert all jhr Gänse, dadert,
  Hadert all jhr Lumpen, hadert,
  Hadert starck, zum Schrift- vnd Feder-Marck.

So singen wir mit Frewden-Schall
  Auch die Buchdrücker an,
Vnd preisen, was Gott überall
  An jhrer Schrifft gethan.
Der Setzer setzt, ein Knabe netzt,
  Ein Drucker kan
So viel als tausend Mann.
  Setzet all jhr Setzer setzet,
  Netzet all jhr Netzer netzet,
  Netzet frisch, der Drucker drucket risch.

Aber der Refrain bleibt doch auch hier stets der Friede, wie
in dem: Beschluß-Gesetzlein. Zu singen im Thon: Wer Gott nicht mit
uns diese Zeit, rc.

Dreyhundert Jahr vergangen seyn,
  Da Truckerey erfunden,
Herr, gib vns doch den Friede dein,
  Verbinde vnsre Wunden,
Heil des Lands Brüch, erhalt dein Wort,
  Pflanz selber Truckerey noch fort
  Zu deines Namens Ehre.

Doch der Herr erhörte noch nicht die Bitte um den Frieden, und Aufleben des
Geſchäfts ſelbſt als dieſer endlich erreicht war, dauerte es noch lange, ehe die Buchdruckerei ſich von ihrem Verfall wieder erholen konnte. Trotzdem hat Leipzig ſelbſt aus der trübſten Periode Druckwerke und Drucker aufzuweiſen, die jeder Zeit Ehre gemacht haben würden, und hörte nie auf, im Gebiete der Wiſſenſchaften namhafte Werke an das Tageslicht zu fördern. Ein weſentlicher und andauernder Aufſchwung tritt aber erſt gegen das Ende des 17. Jahrhunderts ein.

1680 druckte Juſtus Brand das erſte armeniſche Buch; im Beginn des achtzehnten Jahrhunderts zeichnete ſich Chriſtoph Zunkel (1714) aus, und Heinr. Chriſtoph Taüke (1711) war durch ſeine vielen orien- taliſchen Schriften bekannt. Bernh. Chriſtoph Breitkopf, der Vater B. 63. Breit-
kopf des typographiſchen Reformators, war ein ausgezeichnet tüchtiger Buch- drucker, Schriftgießer und Buchhändler. Er war am 2. März 1695 in Clausthal geboren und lernte in Goslar. Am 3. Oct. 1718 kam er nach Leipzig, heirathete 1719 die Witwe des Buchdruckers Joh. Caſp. Müller, und übernahm die Buchdruckerei, die jedoch ſehr in Verfall gerathen war. Breitkopfs Tüchtigkeit und Rechtſchaffenheit ließen ihn jedoch Gönner finden, die ihn in den Stand ſetzten, ſich herauszuarbeiten und den „Goldenen Bären" zu bauen, der das Geſchäft 135 Jahre lang beherbergen ſollte und Veranlaſſung zu dem Druckerzeichen des Bären gab. Der „Silberne Bär" ward dem goldenen gegenüber 1765—67 erbaut. Die Officin, im Jahre 1722 die dreizehnte in der Rangordnung, war 1742 ſchon die dritte und der Beſitzer zur Zeit des Jubelfeſtes 1740 angeſehener Oberälteſter der Innung. Auf dem Boden des tüchtigen Druckerhandwerks erwuchs bald ein anſehnlicher Bücherverlag, der 1723 mit einer hebräiſchen Handbibel begann. Die Meßkataloge von 1725 bis 1761 weiſen 656 Verlagswerke Breitkopfs auf. In hervorragender Weiſe iſt dabei der Bibelverlag vertreten; den weſentlichen Charakter erhielt der Verlag jedoch durch die engen Beziehungen Breitkopfs zu J. Ch. Gottſched und deſſen Frau Luiſe geb. Kulmus. Gottſched blieb bis zu ſeinem Ende Breitkopfs Freund und Hausgenoſſe im Goldenen Bären. Seine Druckerei übergab Breitkopf 1745 ſeinem Sohn; im Ver- lage wirkte er noch bis 1762 und ſtarb hochbetagt und geehrt am 26. März 1777. Er erlebte es noch, wie Gottſched ihm 1736 prophezeit hatte, daß ſein Sohn ihn noch überſtrahle, obwohl er als der erſte Buchdrucker Deutſchlands gegolten hatte. Die Geſchichte darf aber nicht vergeſſen, daß dies dem Sohne vielleicht nur möglich geworden iſt, indem der Vater ihm die Druckerei in einem Zuſtande hinterließ, daß er sich ohne Schranken seinen, mitunter kostspieligen Versuchen und Erfindungen hingeben konnte.

M. G. Weidmann Die Zahl der bedeutenden Verlagshandlungen wuchs fortwährend. Die später so bekannte Weidmann'sche Buchhandlung war von Moritz Georg Weidmann gegründet. Derselbe ward am 13. März 1658 in Speyer geboren, wo seine Voreltern bis ins vierte Glied Superintendenten gewesen waren. Er erhielt eine sorgfältige Erziehung und kam 1673 in die Lehre bei Joh. Dav. Zunner in Frankfurt am Main, ging darauf nach Genf, später nach Frankreich. In der Ostermesse 1682 kam er nach Leipzig, wo es ihm so wohl gefiel, daß er sein Geschäft hier eröffnete und die Witwe des Buchhändlers Matth. Ritter heirathete.

J. L. Gleditsch Er starb am 18. August 1693, erst 35 Jahre alt. Joh. Ludw. Gleditsch, geboren zu Eschenborff unweit Pirna am 24. März 1663, ward früh verwaist und erhielt seine Erziehung auf der Fürstenschule zu Meißen. Den Buchhandel lernte er bei Joh. Fritsch 1678—1683 und conditionirte dort später. Im Jahre 1694 heirathete er die Witwe M. G. Weidmanns, der er große geschäftliche Dienste erwiesen hatte, und führte das Geschäft in tüchtiger Weise fort, bis er es im Jahre 1714 dem Stiefsohne Georg Moritz Weidmann übergab. Von da ab lebte er vom Geschäft zurückgezogen und starb am 20. Januar 1741.

J. J. Gleditsch Der ältere Bruder Johann Ludwigs, Joh. Friedrich Gleditsch (geb. am 15. August 1658), war der Gründer der berühmten gleichnamigen Firma. Er erhielt als Alumnus der Thomasschule zu Leipzig seine Bildung und lernte dann bei E. Schumacher in Wittenberg, bei dem er 14 Jahre verblieb, zuletzt das Geschäft allein leitend. Ostern 1681 kam er nach Leipzig zu Joh. Fritsch. Dieser war durch verwandtschaftliche Verhältnisse Mitbesitzer der von Thomas Schürer 1593 gegründeten Buchhandlung geworden, und besaß sie seit 1675 allein und unter seiner Firma. Fritsch starb 1680. Gleditsch heirathete dessen Witwe und führte das Geschäft fort, bis er es 1694 seinem Stiefsohne, Thomas Fritsch, übergab und ein eigenes Geschäft gründete. Seine bedeutenden literarischen Verbindungen, sein Ruf und seine Sorgfalt in der Herstellung seines gediegenen Verlags machten sein Geschäft zu einem der bedeutendsten in Deutschland. Im Jahre 1710 nahm er seinen am 23. November 1682 geborenen Sohn Johann Friedrich als Theilnehmer in sein Geschäft auf. Derselbe starb jedoch schon im Jahre 1711 und der Vater überlebte ihn nicht lange († 26. März 1716). Die Handlung wurde von dem einzig lebenden Sohne Joh. Gottlieb Gleditsch (geb. 8. Juni 1688) fortgeführt.

Johann Heinrich Zedler (geb. 1706, † 1763) wurde durch sein J. H. Zedler „Großes vollständiges Universal-Lexicon aller Wissenschaften und Künste", 68 Bände, 1731—1754 bekannt. Für solche große encyklopädische, für die allgemeine Bildung berechnete Unternehmungen ist Leipzig bis auf den heutigen Tag der Hauptort geblieben, ebenso wie für die auf Erleichterung und Förderung des literarisch-bibliopolischen Verkehrs zielenden Unternehmungen, wozu wir auch die von Otto Mencke im Jahre 1682 gegründeten: Acta Eruditorum, die erste literarische Zeitschrift Deutschlands, rechnen können. Joh. Samuel Heinsius, der 1725 die 1691 begonnene Heinsius'sche Buchhandlung übernommen hatte, ist besonders bekannt durch sein bedeutendes Sortimentslager, über welches er vortreffliche Kataloge herausgab. Zu erwähnen ist noch Chr. Friedr. Gessner auf Grund seines schriftstellerischen Wirkens für die Typographie. Wenn auch seine „so nöthig als nützliche Buchdruckerkunst" und sein „in der Buchdruckerei wohl erfahrene Lehrjunge" in einem schwatzhaften Ton geschrieben sind und jeder systematischen Anordnung entbehren, so waren sie doch für die damalige Zeit wichtig und haben noch heute vielfaches Interesse.

Der Meßkatalog, dieser Gradmesser des Buchhandels, welcher in Der Meß- den letzten zwei Drittheilen des siebzehnten Jahrhunderts einen Rück- katalog gang gezeigt hatte, wies nun eine Steigerung auf. Leipzig, das Frankfurt im Jahre 1604 zum ersten Male überholt hatte und von da ab bald vorangeht bald zurückbleibt, behält nun, mit Ausnahme des Jahres 1680, die Führung und weist im Jahre 1689 310 Werke gegen Frankfurts 90 auf; 1699 319 gegen 109 und im Jubeljahre 1740 253 gegen 74. Die Totalsumme der Preßerzeugnisse Leipzigs von 1641 bis 1740 betrug 19,711, wozu das Jahr 1698 das stärkste Contingent mit 401 Artikeln lieferte. Die Frequenz der Leipziger Buchhändler- messe steigt in demselben Verhältniß und 1740 zählte das „Verzeichniß der mittlebenden Herren Buchhändler, welche die Leipziger Messen insgemein zu besuchen pflegen", die Akademie der Wissenschaften in St. Petersburg obenan, 314 Firmen auf, von deren Repräsentanten 107 auswärtige und 25 Leipziger persönlich zugegen waren.

Unter solchen Verhältnissen wurde mit größerer Zuversicht an Die dritte das Begehen der dritten Säcularfeier geschritten. 17 Buchdrucker- Jubelfeier principale mit 137 Gehülfen waren diesmal zugegen. Unter den Prin- 1740 cipalen befanden sich H. C. Takke, Christoph Zunkel und Bernhard Christoph Breitkopf, derzeit Oberältester. Gottsched hielt seitens der

Universität die Festrede in dem Auditorium der philosophischen Facul-
tät, da die Benutzung der Kirche nach vielen diplomatischen Verhandlungen mit dem Oberconsistorialpräsidenten von Holtzendorff in Dresden
schließlich verweigert wurde. Die Feier konnte den Charakter einer Jubelfeier annehmen. Leipzigs Lehr- und Prüfungszeit war überstanden
und mit Vertrauen sah man der Zukunft entgegen. Statt der Verzagt-
heit des Jahres 1640 athmen die Reden und poetischen Ergüsse diesmal eine ziemliche Portion Selbstgefühl, wie aus den folgenden Proben
ersichtlich ist. Herr Friedrich Bonaventura Hofmann singt:

> Paris und London zu beschamen,
> Und Amsterdam den Rang zu nehmen,
> Das ist der Zweck, den diese Stadt,
> Beynahe schon erreichet hat.
> Die Klugheit wird es leicht erweisen,
> Sie hole sich nur zum Versuch,
> Aus Philyreens schönen Pressen
> Ein Werk der Kunst, ein einzig Buch.
>
> Hier wird was ungemein zu nennen,
> Das Auge ganz bezaubern können;
> Weil Schrift, Papier und Druck erweist,
> Was Witz, und Fleiß, und Aufwand heißt.
> Ach! lebte noch in diesen Tagen,
> Ein Stephanus, und ein Frobeen!
> Sie würden mit Erstaunen sagen:
> Was Leipzig druckt, sey prächtig schön.
>
> Die Wahrheit, edle Kunstverwandten,
> Hat Euch schon längst dieß zugestanden:
> Drum lebt, und wachst, und blüht und zeigt,
> Daß Kunst, und Ruhm noch täglich steigt.
> Die Ewigkeit ege ihrem Ringe,
> Auch Eure Namen künstlich ein;
> Laßt izt die Herzen guter Dinge,
> Und Euer Fest voll Wonne sein.

Ihm secundirt in seinem Liede zum Preise „der berühmten Linden-
stadt" der Rector in Sangerhausen, Herr Chr. Gottl. Ränbler:

> Du bist gelehrt, reich, artig, schön,
> Was Sparta, Tyrus, Rom, Athen,
> Jedoch getheilt und einzeln weisen,
> Das trifft man hier zusammen an,

Der blaſſe Neid muß ſtille ſchweigen,
Weil er an dir nichts tadeln kann.

So ſchlecht der Fremde von uns ſpricht,
So unterſteht er ſich doch nicht,
Was Leipzig drucket zu verſchmähen,
Papier und Littern ſind zu ſchön,
Er denkt zum Schluß: Paris zu ſehen,
Allein er ſiehet Leipzig ſtehn.

Das „Klein Paris" dünkte ſich alſo damals auch ein „Klein London" und noch dazu ein „Klein Amſterdam".

II.

Die Reformatoren
der Buchdruckerei und des Buchhandels.

Johann Gottlob Immanuel Breitkopf — Philipp Erasmus Reich
Georg Joachim Göschen.

1740—1800.

nter den 137 Gehülfen, welche das Jubelfest von 1740 feierten, befand sich ein junger Mann, welcher bestimmt war, Vieles beizutragen, um Leipzigs Ruhm selbst nach den fernen Welttheilen zu tragen und einen wesentlichen Einfluß darauf zu üben, daß Leipzig sich später in der That ebenbürtig neben Paris, London und Amsterdam stellen konnte. Es war dies

Johann Gottlob Immanuel Breitkopf.

Jugend-
geschichte Er war am 23. Nov. 1719 als Sohn des Bernh. Christoph Breitkopf geboren. Von Natur sehr aufgeweckt und begabt, hatte er keine Neigung, dem Wunsche seines Vaters gemäß, sich der Buchdruckerei zu widmen. Jede krämer= und handwerksmäßige Beschäftigung war seinem lebhaften Geiste zuwider, dagegen zog es ihn unwiderstehlich zum Studiren. Der Kampf mit dem Vater, der den Gedanken nicht ertragen konnte, daß das mit so vieler Liebe gegründete Werk mit seinem Tode wieder untergehen sollte, schloß mit einem Compromiß, wozu Leipzig

und Gutenbergs Kunst sich nur Glück wünschen konnten: Johann Immanuel sollte sich sowohl den Studien als dem Geschäft widmen.

Er legte sich nun mit großem Eifer auf Literatur, Geschichte und auf das Lateinische, während er gegen das Griechische eine unüberwindliche Abneigung hatte. Er versuchte sich auch schriftstellerisch und übersetzte unter andern einige Bücher von Virgils Aeneide. Großen Einfluß auf seine Ausbildung übte Gottsched, der ihn in die scholastische Philosophie einweihte und einen fertigen Disputator aus ihm machte. Aber in der Philosophie fand er doch keine Befriedigung und wandte ihr später ganz den Rücken; auch die Liebe für die alten Autoren kehrte sich später in das Gegentheil um. Zu seinen nähern Freunden gehörte auch der nachmalige Kanzler der Universität Kiel, Cramer.

Erst in seiner späteren Jugend machte die Lust zur Mathematik, **Die Fractur-** **schrift** der er einen großen Theil seines Ruhmes verdanken sollte, sich bei ihm geltend. Das Werk Albrecht Dürers: Unterweysung der Messung mit dem Zirkel u. s. w. fiel ihm in die Hände. Die mathematische Berechnung der Schriftverhältnisse interessirte ihn, und nun war er für die Typographie gewonnen. Er ging an das Vergleichen mit den alten Drucken und fand, wie die immer mehr sich verschlechternde Form mit dem Verfall der Schönschreiberei in Verbindung stand. Mit großem Eifer fing er an, die Buchstaben mathematisch zu berechnen. Er sammelte emsig alle Musterschriften und Werke über Schriftkunde und begann nun seine Reformen, namentlich arbeitete er unablässig für die Verbesserung und Verschönerung der Fracturschrift. Dieselbe hatte ihre ursprüngliche kräftige und schöne gothische Form verloren und war durch mehrere Stadien hindurch immer tiefer und tiefer gesunken, ja man ging mit der Idee um, sie ganz zu beseitigen. Ob dies für die Verbreitung der deutschen Sprache und Literatur wirklich ein Nachtheil gewesen wäre, soll hier ebensowenig bejaht als verneint und nur einfach die Thatsache festgestellt werden, daß die Fractur wahrscheinlich nur durch Breitkopf vor vollständiger Verdrängung bewahrt wurde und allmählich wieder zu Ehren kam. Die Gründe, welche ihn bewogen, seine Anstrengungen der Regeneration der Fracturschrift zu widmen, hat er später in seiner Schrift: „Ueber Bibliographie und Bibliophilie" (1793) entwickelt. Seiner Ansicht nach wäre die deutsche Schrift der lateinischen unbedingt vorzuziehen, sie eigne sich selbst für die Transcription fremdländischer Werke, als hebräischer und arabischer, besser als diese. Nur die Verachtung, welche die Gelehrten der deutschen Schrift bewiesen, trage die Schuld, daß dieselbe nicht eben so verbessert und verschönert worden, wie die allgemein beliebte lateinische. Es bedürfe aber nur der

2

Aufmunterung, um die Künstler zu veranlassen, unter Zugrundelegung der Schöffer'schen Muster, oder der Theuerdank-Type, eine Frakturschrift zu schaffen, welche der schönsten Antiquaschrift die Wage halte. Seine verbesserte deutsche Schrift finden wir zuerst in: „Einige Lieder für Lebensfreuden", seine Antiquaschrift in Forbigers Ausgabe des Catull angewendet.

Musik- und
Landkarten-
Satz

Seine Studien führten ihn noch weiter, und im Jahre 1755 hatte er sein System, Musik mit beweglichen Noten zu setzen, durchgeführt, und zwar in einer so gelungenen Weise, daß es sich noch heutigentages trotz aller anderen Versuche als das beste bewährt hat. Wer nur einmal einen Notenkasten mit den viertehalbhundert verschiedenen, für die unendlichsten Combinationen berechneten Zeichen gesehen hat, muß freudig bekennen, daß Breitkopf hiermit eine große typographische That vollbracht hat, die seinen Namen dem des großen Meisters und Erfinders der Kunst würdig anreiht.

Sein beweglicher Geist beruhigte sich aber hiermit nicht und veranlaßte ihn nun, ein Feld zu betreten, bei dessen Bebauung wir zwar seine Fähigkeiten bewundern müssen, jedoch nicht ohne Bedauern, daß er sie einem so unfruchtbaren Boden zugewendet hat.

Zuerst wollte er die Herstellung der Landkarten der Buchdruckerei zuweisen. Die Berechnung aller der Wellenlinien der verschiedensten Art für die Terrainzeichnung, die Nothwendigkeit, die Schrift kreuz und quer nach verschiedenen Richtungen zu setzen, kurz, alle die Schwierigkeiten, die eine Kartenzeichnung darbietet, machen die typographische Ausführung, wenn auch nicht geradezu unmöglich, doch so schwer, daß sie beinahe nur als die Lösung der Aufgabe betrachtet werden kann, wie man mühsam für mehrere Mark das herstellt, was man auf anderem Wege leichter für einige Pfennige haben kann.

Dies fühlte Breitkopf wohl selbst, wie aus seinen Aussprüchen in der von ihm 1777 herausgegebenen Broschüre: „Ueber den Druck der geographischen Karten" hervorgeht. Die darin enthaltenen Proben seiner Erfindung würden kaum an das Tageslicht getreten sein, wenn er sich nicht von dem Verdacht hätte reinigen wollen, als sei er mit seiner Erfindung später gekommen als Haas in Basel mit der seinigen. Er tritt mit Entrüstung diesem Verdacht entgegen und kritisirt streng den Haas'schen Versuch, den er „mehr ein opus musivum als typographicum nennt, mit Thon und gekautem Papier nachgeholfen, wie man dergleichen schon längst in der Druckerei kennt". In demselben Jahre folgte noch: „Die Beschreibung des Reichs der Liebe" mit einer Karte, und 1779 „Der Quell der Wünsche", ebenfalls mit einer Karte, die aber

ebensowenig als eine glückliche Lösung der gestellten Aufgabe betrachtet
werden kann.

Mag dies auch sein, so ist doch Breitkopfs typographischer Scharf-
sinn sehr zu bewundern und seine Kartenversuche bleiben typographische
Reliquien von hohem Werth. Der Satz, der noch heute erhalten ist,
beseitigt jeden Verdacht, als sei durch Feile, Messer, ungeregelten Aus-
schluß oder in anderer Weise nachgeholfen; alle Stücke sind streng
systematisch und einfach wie in jedem Satz aneinandergereiht.

Obgleich Breitkopfs klarer Verstand ihm sagte, daß er auf diesem
Wege keine großen praktischen Erfolge erzielen würde, so veranlaßte ihn
doch sein etwas hartnäckiger Charakter, weiter zu gehen. „Er war",
wie sein Biograph Hausius sagt, „zufrieden, Deutschland den Ruhm
einer neuen Erfindung in seinem Fache errungen zu haben, ehe ein Aus-
länder dieselbe erstrebt hatte."

Jetzt wollte er es noch möglich machen, Portraits mit Typen her- Figuren-Satz
zustellen. Die Strichlagen des Kupferstechers ließen ihn au die Möglichkeit glauben, ebenfalls durch parallel laufende Linienstücke das Ziel
erreichen zu können. Seine Proben hat Niemand gesehen, es ist aber
nach den neuesten Arbeiten Moulinets und Anderer in diesem Genre
leicht, sich von Dem, was er im besten Fall erreicht haben kann, ein unge-
fähres Bild zu machen. Für die praktische Buchdruckerei gehören alle
diese Versuche zwar zum Gebiete des an und für sich Unpraktischen, deshalb können wir sie jedoch nicht als für die Aus- und Fortbildung der
Typographie unnütze Arbeiten bezeichnen.

Die Herstellung des chinesischen Satzes mit beweglichen Lettern Chinesischer
ist eine der Aufgaben, die sich die Typographie seit langer Zeit gestellt Satz
und schließlich auch gelöst hat. Sowohl die französische als die päpst-
liche Regierung hatten hierauf viel Geld unnütz verwendet. Die große
Anzahl der Schriftzeichen machte die Anfertigung kostspielig, und die
Aehnlichkeit der Charaktere unter sich den Satz äußerst schwierig. Wenn
die Chinesen noch immer ihren Holztafeldruck vorziehen, so dürfte dies
nicht nur ihrem stereotypen Sinne zuzuschreiben sein, sondern auch dem
Umstande, daß in einem Lande, wo die Arbeitskräfte noch so billig sind
und eine so große Handgeschicklichkeit herrscht, das Schneiden einer
Holzplatte wohlfeiler ist als der Satz.

Breitkopf löste seine Aufgabe und sandte sofort eine Probe an den
Papst, der ihm durch den Cardinal Borgia in sehr schmeichelhaften
Ausdrücken danken ließ. Aber auch bei dieser Erfindung unterblieb
die praktische Ausbeutung. Ein holländischer Verleger unterhandelte
zwar mit Breitkopf über das Setzen eines chinesischen Textes in Leipzig,

2*

die Verhandlungen führten aber zu keinem Resultate, und Breitkopfs schon früher erwähnter Biograph meint wieder: „Es war ihm im Grunde nicht viel daran gelegen; die Ehre der Erfindung für Deutschland war ihm genug". Ganz unwahr mag dies wohl nicht sein; das rein Geschäftliche hatte Breitkopf nie recht interessirt, während die geistige Arbeit bei seinen Erfindungen ihm Hochgenuß war. Die ersten Proben seiner chinesischen Schrift übergab er 1789 der Oeffentlichkeit.

Andere Ver-   Nun wollte Breitkopf auch mathematische Figuren mit beweglichen
besserungen   Typen setzen, ein Gedanke, der zwar praktischer war als das Setzen von Portraits, jedoch bei der Billigkeit des einfachen Holzschnittes keine großen Erfolge haben konnte. Auch diese Erfindung kam nicht zur praktischen Geltung.

Schließlich wendete er seine Aufmerksamkeit darauf, die Verzierungen, die nach und nach den höchsten Grad von Ungeschmack erreicht hatten, durch geschmackvollere zu ersetzen. Zu diesem Zwecke ließ er gute ältere Vorbilder nachahmen und in Holz schneiden. Seinen Grundsätzen getreu wollte er aber nicht damit hervortreten, bis seine Sammlung einen gewissen Grad von Vollständigkeit erreicht hatte.

Auch das Gießen und das Drucken haben ihm Verbesserungen zu verdanken. Seine Gießerei war wegen ihrer vortrefflichen Metalllegirung berühmt. Einen Beweis für diese liefert die Reinheit der Abdrücke, die nach Verlauf von hundert Jahren von dem Satze gemacht wurden; die Gießerei arbeitete mit gegen vierzig Leuten an zwölf Oefen und sandte ihre Schriften nach allen Ländern der Welt.

Obwohl selbst ein abgesagter Feind des Kartenspiels, errichtete Breitkopf doch eine Spielkartenfabrik, die er nach großen Verlusten wieder aufgab. Kein besseres Schicksal hatte eine Tapetenfabrik, obwohl die Muster von dem besten Geschmack zeugen. Breitkopf war eben der Mann des Erfindens, nicht aber in gleichem Maße für die pecuniäre Ausbeutung der Erfindungen geschaffen.

Einem so feingebildeten Geiste konnten die handwerksmäßigen Rohheiten, die mit der Lossprechung eines Lehrlings verbunden waren, selbstverständlich nicht zusagen. Er schaffte deshalb die bei solchen Gelegenheiten üblichen, auf Verhöhnung, körperliche Plackerei und Prellerei zielenden scenischen Aufführungen ab und beschränkte sich darauf, den symbolischen Sinn der Marterwerkzeuge erklären zu lassen und in einer sinnigen Rede den Losgesprochenen über seine Rechte und Pflichten zu belehren. Solche Aenderungen und Neuerungen, die auf das Beschränken des Trinkens und des Feierabendmachens abgesehen waren, fanden aber begreiflicherweise keine Gnade, und man ging anfänglich

so weit, die bei Breitkopf Ausgelernten nicht für voll anerkennen zu
wollen; doch bahnten sich Vernunft und Sitte schließlich den Weg.

Schrift-
stellerische
Thätigkeit

Wie manche seiner technischen Pläne und Experimente, so blieben
auch manche seiner schriftstellerischen Arbeiten nur Entwürfe. Um seinen
Hauptplan, eine großartig angelegte Geschichte der Buchdruckerei zu
schreiben, tüchtig durchzuführen, hatte er mit vieler Sorgfalt und mit
großen Kosten eine Bibliothek der Werke über Buchdruckerkunst und
Proben von den Leistungen derselben gesammelt. Durch eine Reihe
von Jahren hatte er Collectaneen angelegt, auch einige Partien ausführlicher bearbeitet. 1779 erschien seine Broschüre: „Ueber die Geschichte
der Erfindung der Buchdruckerkunst", welche den breit angelegten Plan
seines Werkes entwickelt. Es folgte dann 1784 einer der durchgearbei-
teten Abschnitte: „Versuch über den Ursprung der Spielkarten. Erster
Theil". Der zweite Theil wurde nach Breitkopfs Tode von J. C. F.
Roch 1801 herausgegeben, welcher in der Vorrede darüber klagt, daß
die hinterlassenen Notizen Breitkopfs nicht derart angelegt seien, um
eine größere Ausbeute zu gewähren. Breitkopfs reger Geist führte ihn
während der Arbeit immer weiter; die Noten überwuchern den Text.
Er wollte Alles, was ihn interessirte, auch ausführlicher bearbeiten,
und so haben wir zu bedauern, daß wir nur einige, wenn auch sehr
werthvolle Bruchstücke erhielten statt einer vollständigen, noch heute
nicht vorhandenen Geschichte der Kunst, die zu schreiben er, wie kaum ein
Zweiter, fähig gewesen wäre, wenn er nur die Kunst sich zu beschränken
besser verstanden hätte.

Breitkopfs
Tod

Breitkopf starb am 28. Januar 1794 und hinterließ seine Buchdruckerei als eine der am reichsten ausgestatteten, wenn nicht gar als
die reichste der Welt. Sie besaß gegen 400 verschiedene Schriftgattungen,
16 Sorten Noten, einen großen Vorrath von Vignetten, und beschäftigte
120 Arbeiter. Das Geschäft wurde von dem Sohne Christoph Gottlob
fortgeführt, der sich im Jahre 1796 mit Gottfried Christoph Härtel
associirte. Von 1798 datirt die Firma Breitkopf & Härtel. C. G. Breitkopf starb am 7. April 1800. Es wird Gelegenheit geboten werden, die
Geschichte dieser berühmten, bis auf den heutigen Tag blühenden Firma
später zu berühren. Von bedeutenderem Namen als Johann Gottlob
Immanuel Breitkopf hat die specielle Buchdruckergeschichte Leipzigs
keinen, die allgemeine wenige aufzuweisen.

———

Wie die Typographie in Breitkopf, so fand der Buchhandel den Reformator in

Philipp Erasmus Reich,

geb. 1. December 1717 in Laubach in der Wetterau. Reich lernte als Buchhändler in Frankfurt a. M. und hielt sich längere Zeit in England und Schweden auf. 1756 kam er in das Weidmann'sche Geschäft, dessen Chef, der Hofrath Moritz Weidmann, 1743 gestorben war. Durch unregelmäßige Führung war dasselbe schnell zurückgekommen, hob sich aber unter Reichs einsichtsvoller und energischer Verwaltung ebenso schnell, so daß die Besitzerin, die Tochter Weidmanns, sich veranlaßt sah, ihn 1762 als Theilhaber aufzunehmen, mit der contractlichen Bestimmung, daß das Geschäft dem Ueberlebenden zufallen sollte, worauf die Firma in M. G. Weidmanns Erben & Reich umgeändert wurde. Auf Reichs Anrathen war der Meßkatalog schon 1759 angelauft, der bis um die Mitte unseres Jahrhunderts im Besitz der Firma blieb.

Verlags-thätigkeit   Reich sorgte für eine würdige Ausstattung seines Verlags und ließ die schönwissenschaftlichen Werke mit Kupferstichen der besten Meister zieren. Er war nicht allein Verleger, sondern auch Freund einer Anzahl der bedeutendsten Geister, z. B. Ramler, Sulzer, Lavater, Gellert, Wieland u. a., und sein Haus war der regelmäßige Sammelplatz der geistigen Elite Leipzigs. Durch seine Eigenschaften erwarb er sich ein großes persönliches Ansehen unter den Buchhändlern und sein Wort hatte eine bedeutende Geltung in allen Angelegenheiten des Buchhandels, dessen Reform er mit großem und ausdauerndem Eifer seine besten Kräfte widmete.

Reform-bestrebungen   Mit dem Fortschreiten der Literatur hatte es nicht ausbleiben können, daß neben manchen Berufenen auch eine ziemliche Zahl Unberufener, von den anscheinend großen Vortheilen gelockt, sich in den Buchhandel einmiseten. In einer 1733 erschienenen Broschüre: „Eines aufrichtigen Patrioten unparteiische Gedanken ꝛc." heißt es: „Verdorbene Magistri, halb oder gar nicht studirte Studenten und Quacksalber, verlaufene Buchdruckerjungen, fallit gewordene Kaufleute, liederliche Kaufdiener, armselige Schneider, herren- und ehrlose Laquaien wollen bei der aus Noth erwählten Buchhandlung glücklich, reich und ehrlich werden". Jeder Schwindel, der heutzutage geübt wird, um Absatz zu erzielen, wurde auch damals in vollem Maße angewendet. Betrügerische Prospecte, Massenverkäufe um jeden Preis, Auctionen, Lotterien waren an der Tagesordnung, dazu der unverschämteste Nachdruck selbst der

durch kaiserliche Privilegien geschützten Bücher. Als Mittel, um diesen
Uebeln zu steuern, schlägt der Verfasser der patriotischen Gedanken
einen innungsmäßigen Verband der Buchhändler vor. Aber die Zeit
war noch nicht dafür gekommen und das Uebel wuchs noch während
der Calamitäten des siebenjährigen Kriegs und der in den Jahren 1760
bis 1761 entstandenen Geldwirren.

In der Buchhändlermesse 1764 erschien nun wieder ein Circulär,
das wahrscheinlich Reich zum Verfasser hatte, worin energisch auf-
gefordert wurde, nunmehr endlich dem Unwesen entgegenzutreten, und
diesmal mit besserem Erfolge. Durch rastlose Bemühungen brachte es
Reich trotz der heftigen Opposition von vielen Seiten dahin, daß sich
in der Ostermesse 1765 der erste Buchhändlerverein constituirte. Der
Zweck desselben war, Ordnung und feste Regeln in den geschäftlichen
Verkehr zu bringen, der Schleuderei und Unregelmäßigkeit in den
Rabattbedingungen eine Grenze zu setzen, vor Allem aber durch gemein-
schaftliche Maßregeln energisch gegen den Nachdruck aufzutreten. Die
constituirende Versammlung fand im Quandl'schen Hause in dem Locale
des Herrn Erckel statt, wo jährlich in der Ostermesse zwei General-
versammlungen abgehalten werden sollten. Sechsundfünfzig Buchhandlungen, worunter die angesehensten Firmen, waren die Begründer,
und am 10. Mai 1765 wurde die erste Sitzung gehalten. An der
Spitze des Vereins stand ein Secretär, wozu Reich erwählt wurde, und
er scheint dieses Amt bis zu seinem Tode bekleidet zu haben.

Reich starb hochgeehrt am 3. December 1787, siebzig Jahre alt. Ver- *Reichs Tod*
tragsmäßig ging die Handlung auf die ihn überlebende Gesellschafterin
über, welche nunmehr das Geschäft unter der Firma „Weidmann'sche
Buchhandlung" fortsetzte.

Der erste Versuch, eine Corporation zu bilden, die sich über das
ganze Gebiet des deutschen Buchhandels erstreckte, scheint mit Reichs
Tod sich in den Sand verloren zu haben und es ist wenig von den
Verhandlungen bekannt geworden. Aber die einmal angeregte Idee
konnte nicht wieder untergehen, und noch vor dem Schluß des Jahrhunderts trat ein zweiter Verein ins Leben. Paul Gotthelf Kummer
war die Veranlassung, daß 1792 in dem damaligen Richter'schen Kaffee-
hause (jetzigem Dufour'schen Hause) mehrere Zimmer gemiethet wurden,
um dort gegenseitig abzurechnen, während man bis dahin mit seinen
Handlungsbüchern unter dem Arme von einem Geschäft in das andere
gewandert war. 1797 wurde auf Betrieb Carl Christian Horvaths aus
Potsdam (geb. 1752) das spätere Convictorium im Paulinum für die

fremden Buchhändler gemiethet, wo durch fünfundzwanzig Jahre die
Abrechnungen stattfanden. Gleich zum Beginn traten 116 Handlungen
dem Vereine bei.

———

Auf der Grenze des 18. und 19. Jahrhunderts und der mit der
Einführung der Stereotypie und der Schnellpresse beginnenden neuen
Aera der Buchdruckerei und des Buchhandels treffen wir noch einen
Markstein von großer Bedeutung: die Firma G. J. Göschen.

Georg Joachim Göschen

Jugend-
geschichte

war zu Bremen geboren; sein Geburtstag ist nicht genau bekannt, er
wurde aber am 22. April 1752 getauft. In früher Kindheit verlor er
die Mutter. Sein Vater heirathete noch zweimal, war aber im Geschäft
vom Unglück verfolgt, so daß er noch flüchtig werden mußte, wohin
blieb unbekannt. Georg war nun so gut wie eltern- und hülflos. Die
Angehörigen seiner zweiten Stiefmutter gaben ihm noch das Reisegeld,
um nach Bremen zu kommen, wo Verwandte und mitleidige Kaufleute
ein Jahresgeld von 80 Thalern für ihn aufbrachten, das er genießen
sollte, bis er mündig würde. Drei Jahre blieb er nun in Pension bei
einem Schullehrer in Arbergen, einem Dorfe bei Bremen, wo der Pastor,
Vater des Göttinger Professors Heinrich Ludwig Heeren, ihm mit
diesem zugleich Unterricht gab. Mit dem 15. Jahre kam er in die Lehre
bei dem Buchhändler Kramer in Bremen, dessen volle Liebe er erwarb
und durch dessen Fürsprache er in der bekannten Buchhandlung Crusius
in Leipzig eine Gehülfenstelle erhielt. In dieser blieb er 13 Jahre thätig
und erwarb sich nicht allein die Zuneigung der Gelehrten, mit denen er
zu verkehren hatte, sondern fand auch Zutritt in geachtete Familien,
unter diesen die Körner'sche, mit deren Sohn Christian Gottfried er
innige Freundschaft schloß.

1782 ging Göschen nach Dessau, wo 1781 eine „Buchhandlung der
Gelehrten" errichtet war, welche zum Zweck hatte, Gelehrten die Möglichkeit zu gewähren, ihre Werke auf eigene Kosten zu drucken. Hier
reifte in ihm der Entschluß, sich in Leipzig zu etabliren. Er schloß mit
seinem Freunde Körner einen Gesellschaftsvertrag und schon 1785
registrirt der Meßkatalog Werke aus seinem Verlage, jedoch noch mit
der Bezeichnung: Dessau und Leipzig. Göschen entfaltete nunmehr eine
große Rührigkeit, bekam Werke von Wieland, Bode, Musäus in Verlag,
trat in Verbindung mit Goethe und Schiller und konnte schon 1787

33

fein Verhältniß zu Körner ordnen und lösen. 1787—1791 druckte er
die erste Gesammtausgabe von Goethes Werken.

Pracht-
ausgaben
Um eine Prachtausgabe von Wielands Werken mit lateinischen
Lettern zu drucken, faßte Göschen den Plan, selbst eine Buchdruckerei
zu errichten, da die vorhandenen Druckereien seine Forderungen nicht
erfüllen konnten. Das war aber in der damaligen Blüthe des Innungs-
wesens keine leichte Sache, da Göschen nicht gelernter Buchdrucker war.
Er mußte in seinem Concessionsgesuche an den Kurfürsten, das am
4. Mai 1793 bewilligt wurde, geltend machen, daß er nur „mit
lateinischen Lettern nach Didot" drucken wolle, daß diese nicht in Leipzig
vorhanden, und daß seine Typen noch schöner seien, als die von Unger
in Berlin, so daß Leipzigs Buchdruckerruhm dadurch steigen würde;
außerdem wolle er nur für sich drucken und sogar nur solche Artikel
seines Verlages, die Andere nicht ausführen könnten. Nichtsdesto-
weniger wurde von Seiten der Innung mit allen Kräften gegen ihn
gearbeitet; man hatte wohl das Gefühl, daß ein Geist wie Göschen
nicht bei den lateinischen Typen nach Didot stehen bleiben würde, was
auch der Fall war. Denn um dieser drückenden Beschränkung zu ent-
gehen, verlegte Göschen seine Druckerei nach Grimma, in dessen Nähe
er das Gut Hohenstädt besaß, und erhielt am 14. Juli 1797 unbe-
schränkte Concession und Dispensation von dem Aufdingen und Los-
sprechen.

Nachdem er die erste Leipziger Concession erhalten hatte, schritt
er an sein großes Vorhaben, die Gesammtausgabe von Wielands
Werken, gegen welche übrigens die Weidmann'sche Buchhandlung auf
Grund ihres Eigenthumsrechts an siebenzehn darin enthaltenen Werken,
jedoch vergeblich, Einspruch that. Diese Ausgabe sollte etwas noch
nicht Dagewesenes sein und erschien in vier Gestalten. Die große
Prachtausgabe in 42 Bänden in 4°, mit Antiqua gedruckt und mit
36 Kupfern geschmückt, kostete 250 Thaler. Die Correctur besorgte
Seume. Als Wieland 1794 nach Leipzig kam, ließ Göschen ihm den
ersten Band unter festlichem Gepränge von griechisch gekleideten Genien
überreichen, während die Muse Wielands Haupt mit einem Lorbeer-
kranze schmückte. — Die Prachtausgabe in großem Octav kostete
125 Thaler; die in kleinerem Octav 112 1/2 Thaler, die gewöhnliche
Ausgabe 25 Thaler.

Auch von Klopstocks Werken wollte Göschen eine ähnliche Ausgabe veranstalten; sie blieb aber unvollendet, nachdem in den Jahren
1798—1810 sieben Bände davon erschienen waren. Eine Zierde seiner
Buchdruckerei ist auch die, nicht vollständig gewordene Prachtausgabe

des Wolff'schen Homer und die Griesbach'sche Ausgabe des Neuen Testaments. Wieland schrieb an Göschen: „Sie sind dem Ideal der Vollkommenheit in diesem Fache so nahe gekommen, als es physisch möglich ist. Ich kann mich nicht genug über die Schönheit dieser Lettern ergötzen", — ein Urtheil, dem der Buchdrucker in Betreff der griechischen Typen Göschens aber nicht beistimmen wird.

Nach viele Werke von Schiller, Forster, Houwald, Iffland, Kind, Müllner u. v. A. gingen aus seinen Pressen hervor. Gegen Autoren war Göschen ver wahre Gentleman-Verleger und er bezahlte für damalige Verhältnisse enorme Honorare. Wieland erhielt für die zweite Auflage seiner sämmtlichen Schriften 7000 Thaler. Schiller schreibt ihm nach Empfang des Honorars für den ersten Abdruck der Geschichte des 30jährigen Krieges: „Sie haben mich nicht bezahlt, sondern belohnt, und die Wünsche auch des ungenügsamsten Autors befriedigt"; selbst Hofrath Müllner, der mit aller Welt in Streit lag, lobte ihn.

Reform-
bestrebungen Für den Buchhandel als Stand fühlte Göschen stets auf das wärmste; seine Bestrebungen, einen über ganz Deutschland sich erstreckenden Verein unter den Buchhändlern zu bilden, waren jedoch für den Augenblick erfolglos. Beachtenswerth bleibt aber seine Schrift: „Meine Gedanken über den Buchhandel und über dessen Mängel, meine wenigen Erfahrungen und meine unmaßgeblichen Vorschläge, dieselben zu verbessern" (1802). — Er sollte wenigstens noch die Freude erleben, daß es Anderen möglich wurde, seinen Wünschen und Plänen für die Hebung des Standes durch die in der Ostermesse 1825 erfolgte Begründung des Börsenvereins Verwirklichung zu geben.

1823 hatte Göschen auch seine Buchhandlung nach Grimma verlegt und die Leitung der Buchdruckerei seinem ältesten Sohne übergeben. Er selbst verblieb aber noch bis in seine letzten Tage buchhändlerisch und schriftstellerisch thätig und behielt seine volle Geistesfrische bis zu seinem am 5. April 1828 auf Hohenstädt erfolgten Tode. Er hatte das Alter von beinahe 76 Jahren erreicht. Die Handlung ging 1838 an die J. G. Cotta'sche Buchhandlung über, die hierdurch den Verlag beinahe aller deutschen Classiker in ihrer Hand vereinigte.

Andere Verleger und Buchdrucker.

Neben den zwei Sternen erster Größe, Reich und Göschen, hat die erste Hälfte des vierten Jahrhunderts der Buchdruckerkunst noch manche tüchtige Namen unter Buchhändlern und Buchdruckern Leipzigs aufzuweisen, und Firmen wurden begründet oder erstarkten, die zum Theil noch heute fortleben, zum Theil Grundsteine wurden, auf denen

die künftige Generation mit Ruhe und Sicherheit das mächtige Gebäude
des heutigen typographisch-bibliopolischen Leipzig weiter ausbauen
konnte.

Von den Firmen, die noch in früherer Zeit wurzeln, ist die $^{J. M. Glebitsch}$
Glebitsch'sche zu nennen, die 1750 in dem Besitz Friedr. Ludwig
Glebitsch war. Sie wurde nicht mehr mit der früheren Energie betrieben, jedoch durch verschiedene Erwerbungen, darunter den Verlag
von Thom. Frisch, vergrößert. Siegfried Lebrecht Crusius (geb.
1738) übernahm 1765 ein um 1730, wahrscheinlich als Leipziger Filiale
des Teubner'schen Antiquariats in Braunschweig, gegründetes Geschäft.
In dem rasch emporblühenden Crusius'schen Verlag erschien eine Anzahl
der Werke Schillers, Chr. Felix Weißes weltberühmter Kinderfreund
(24 Theile), C. G. Salzmanns Elementarbuch, Basedows Werke,
und Bröders, der studirenden Jugend der ganzen Welt genugsam bekannte, lateinische Grammatik. Im Jahre 1808 übergab Crusius das
Geschäft an J. C. W. Vogel und starb 1827. Joh. Gottfr. Dyk
(gestorben 1760) kaufte 1745 Aug. Martinis, 1712 begonnenen
Verlag, die „Bibliothek der schönen Wissenschaften" erschien 1757—1806.
Dyks einziger Sohn Joh. Gottfried, ein wissenschaftlich sehr ge-
bildeter Mann, der selbst viele Schriften herausgab, übernahm 1763
das Geschäft. Paul Gotthelf Kummer, geboren am 29. December
1750, wurde im Jahre 1776, nach langem Widerstreben der zwölf
etablirten Collegen, als dreizehnter aufgenommen. Sein Verlag war ein
sehr reichhaltiger und, namentlich durch die vielen Schriften Aug.
v. Kotzebues, sehr gesuchter. Seine Verdienste um das allgemeine
Wohl des Buchhandels wurden schon erwähnt. Engelhardt
Benjamin Schwickert gründete 1770 mit kleinen Mitteln ein
Verlagsgeschäft, das er durch umsichtigste Thätigkeit schnell in die
Höhe brachte. In die von Aug. Xeberecht Reinicke 1791 gegründete
Buchhandlung trat Joh. Heinrich Hinrichs 1796 als Socius
ein, übernahm sie 1800 allein und starb 1813. Die Hinrichs'sche Buchhandlung ist namentlich durch ihre periodischen, 1797 begonnenen Lite-
raturkataloge eine durch die ganze literarische und buchhändlerische Welt
populär gewordene Firma. Das Geschäft Georg Voß stammt aus
dem Jahre 1791; J. B. G. Fleischers Buchhandlung, namentlich durch
ihr, auch an ausländischer Literatur sehr reiches Sortiment bekannt,
aus 1788. Joh. Ambr. Barth erwarb 1789 die, 1780 von J. P.
Haug begründete Buchhandlung. Der berühmte Buch- und Kunst-
kenner J. A. G. Weigel gründete sein Geschäft 1797. Die hauptsäch-
liche Thätigkeit dieser Firmen gehört der folgenden Periode an.

Von Buchdruckereien sind zu nennen der Rathsbuchdrucker Ulr. Chr. Saalbach (gestorben 1798), dessen Geschäft, ursprünglich von Henning Groß im Jahre 1604 gegründet, und nach vielen Wandelungen in Saalbachs Hände übergegangen, namentlich reich an orientalischen Typen war und viel für den Gleditsch'schen Verlag arbeitete; Friedr. Gotthold Jacobäer (früher Schniebes); Wilh. Gottl. Sommer (gestorben 1794), bekannt als Accidenzdrucker; Chr. Friedr. Solbrig. Chr. Philipp Dürr (gestorben 1803) übernahm 1755 eine, 1670 von Elias Fiebig begründete Buchdruckerei und druckte namentlich für Weidmanns, Weigel, Gleditsch; auch die Leipziger Zeitung wurde bei ihm von 1763—1803 ausgeführt. Seit 1792 war der gleichnamige Sohn Theilnehmer. Als typographischer Schriftsteller, jedoch in Leipzig nie etablirt, war Chr. Gottl. Täubel bekannt, dessen verschiedene Werke, obwohl geschmacklos und ungleichmäßig behandelt, noch heute Werthvolles bieten. Noch mehrere andere tüchtige und rüstig wirkende Buchdrucker, die dazu beitrugen, Leipzigs Suprematie als Druck-, Verlags- und Commissionsort fest zu begründen, wären wohl zu erwähnen, aber Niemand in dieser Periode erreichte an Ruhm den Eröffner derselben, Breitkopf, oder den Beschließer, Göschen. Erst die spätere Zeit sollte Männer hervorbringen, die sich diesen als ebenbürtig anreihten.

III.

Vom Beginn des XIX. Jahrhunderts
bis zur Jubelfeier 1840.

 ie Erfindung der Stereotypie und der Schnellpresse sowie das Wiederaufsuchen der Xylographie hatten eine neue Aera für die Buchdruckerei und den Buchhandel eröffnet und Leipzig, seiner Stellung und der damit ihm auferlegten Pflichten eingedenk, versäumte nicht, sich schnell der neuen Erfindungen zu bemächtigen und sie auszubeuten.

Voran in der Reihe der Männer, denen Leipzig in dieser entscheidenK. Tauchnitzden Periode die Erhaltung und Vermehrung seines Ruhmes verdankt, steht

Karl Christoph Traugott Tauchnitz.

Er war am 29. Oct. 1761 in Großpardau bei Grimma, wo sein Vater Schulmeister war, geboren. Da er wegen seiner Armuth nicht studiren konnte, trat er 1777 als Buchdruckerlehrling bei Sommer ein und arbeitete später bei Unger in Berlin, der als Buchdrucker und Holzschneider einen ausgezeichneten Platz einnahm. 1792 kehrte er nach Leipzig zurück und stand als Factor dem Sommer'schen Geschäft vor. Im Jahre 1797 gelang ihm der Ankauf einer kleinen Buchdruckerei mit einer Presse; das Geschäft gewann aber bald durch Tauchnitz' Fleiß und Accuratesse an Ausdehnung; schon 1800 konnte er eine Schriftgießerei und eine Buchhandlung mit der Buchdruckerei vereinigen, und seine Wirksamkeit muß hauptsächlich in der Verbindung dieser verschiedenen Geschäfte für ein Ziel betrachtet und beurtheilt werden. Dieses Ziel war besonders die Herausgabe der griechischen und römischen Classiker in guter Ausstattung, größter Correctheit und zudem zu den billigsten Preisen.

Stereotypie Im Jahre 1808 machte er damit den Anfang. Ohne das von Lord Stanhope eingeführte Verfahren der Stereotypie wären die oben genannten Eigenschaften schwer zu erreichen gewesen. Er machte sich das neue Verfahren zu eigen und bediente sich desselben nicht allein bei den Classikern, sondern auch für mehrere Bibelausgaben. In der Einführung der Stereotypie wurde er von dem Engländer Watts, in seinen Bemühungen für die Verbesserung der Antiqua, der griechischen und der orientalischen Schriften von den Schriftgießern J. G. Scheller und Matthes unterstützt.

Seine Leistungen beschränkten sich aber nicht auf brauchbare billige Ausgaben, er lieferte auch Prachtausgaben ersten Ranges, z. B. die Folio-Ausgabe von Theokrit (1809), das Carmen Arabicum Szasieddini Helensis (1816), die Kuhn'sche Hymne an König Friedrich August von Sachsen u. s. w. Zu seinen bedeutendsten Leistungen gehören auch die stereotypirten hebräischen Bibeln von Hahn (1831—1833) und die arabische Ausgabe des Korans von Flügel (1834). Die Umarbeitung der Buxtorfischen Concordanz durch Fürst und die Bulgata im Grundtexte mit gegenüberstehender Uebersetzung waren noch unvollendet bei seinem Tode, der ihn mitten unter den Plänen zu neuen wichtigen Unternehmungen ganz plötzlich am 14. Januar 1836 abrief. Wie früher bei seinem am 18. April 1827 gefeierten Jubiläum, zeigte sich jetzt die allgemeinste Theilnahme seiner Mitbürger, und die ganze typographische Welt betrauerte den Heimgang eines ihrer Koryphäen.

K. C. Ph.
Tauchnitz Sein Sohn Karl Christian Philipp, der eine ausgezeichnete Bildung genossen hatte, setzte das Geschäft, ohne demselben mit der vollen Neigung des Vaters zugethan zu sein, doch ganz im Sinne des Letzteren fort. Auf Veranlassung der Amerikanischen Mission in Syrien wurde bei ihm unter der persönlichen Leitung des Missionärs Dr. Eli Smith eine neue arabische Schrift geschnitten, die ganz dem Geschmack der Orientalen sich anpaßt, jedoch im Satz größere Schwierigkeiten bietet als die ältere, mit welcher der Koran gedruckt wurde.

F. A. Brockhaus Wie neben Breitkopf Göschen in seiner Doppelstellung als Buchdrucker und Verleger rühmlichst genannt werden mußte, so steht neben Tauchnitz der, am 4. Mai 1772 geborene, geniale Begründer der berühmten Firma F. A. Brockhaus:

Friedrich Arnold Brockhaus.

Der Vater war Kaufmann und Rathsherr in Dortmund und Friedrich
Arnold lernte ebenfalls dort das kaufmännische Geschäft, studirte jedoch
dann ein Jahr in Leipzig. Im Jahre 1798 eröffnete er ein englisches
Manufacturwaarengeschäft in Dortmund, welches er 1802 nach Amsterdam verlegte. 1805 gab er dieses Geschäft auf, um sich bei einem buchhändlerischen Geschäft unter der Firma Roloff & Co. zu betheiligen,
welche Firma sich später in Kunst- und Industrie-Comptoir änderte.
Nachdem die Franzosen Holland erobert hatten, verlegte Brockhaus das
Geschäft nach Altenburg und nahm die jetzige Firma an. Seinen
Scharfblick für die Bedürfnisse der Zeit bekundete er durch viele Unternehmungen, vor allem durch sein Conversationslexikon. 1815 zog er
nach Leipzig, da er aber die Buchdruckerei nicht zunftmäßig gelernt
hatte, mußte B. G. Teubner ihm seine Firma leihen, und es entstand
demzufolge „die zweite Teubner'sche Buchdruckerei". F. A. Brockhaus
starb unerwartet früh am 20. August 1823. Sein Enkel Dr. Eduard
Brockhaus hat ihm ein würdiges biographisches Denkmal gesetzt.

Das Geschäft ging auf die Söhne Friedrich und Heinrich über.
Friedrich hatte die Buchdruckerei 1816—19 bei Vieweg in Braun-
schweig gelernt und arbeitete später bei Crapelet in Paris. Nach seiner
Rückkehr gegen Ende des Jahres 1820 übernahm er die Führung der
Buchdruckerei, welche damals 10 Holzpressen beschäftigte. 1821 schaffte
er die erste eiserne Presse an, 1826 eine Schnellpresse von König und
Bauer, die erste in Leipzig, deren Aufstellung zu Unruhen der Arbeiter
Veranlassung gab, die noch nicht einsehen gelernt hatten, wie sie hiermit
gegen ihr eigenes Fleisch und Blut wütheten. 1833 wurde die Stereotypie eingerichtet und nun folgte die Aneignung der neuen Erfindungen:
der hydraulischen Presse, der Satinirmaschine und schließlich der Dampf-
maschine. 1840 arbeiteten 3 Schnellpressen, 30 eiserne Pressen und
7 hölzerne Handpressen und 253 Personen fanden Beschäftigung in
dem ausgedehnten Geschäft. Bereits 1836 war die, namentlich durch
ihre vorzüglichen Fracturschriften berühmte Walbaum'sche Schriftgießerei in Weimar von Brockhaus erworben.

Benedictus Gotthelf Teubner,

der Dritte im Bunde, hatte noch vor Brockhaus sein später so bedeuten- B.G.Teubner
des Geschäft begründet. Er war zu Großkrausnigk in der Nieder-
lausitz, wo sein Vater Prediger war, am 16. Juni 1784 geboren.
Bei Meinhold in Dresden lernte er das Geschäft und übernahm
am 21. Februar 1811 die, den Weinedel'schen Erben gehörende Buchdruckerei, welcher er bereits als Factor vorgestanden hatte. Er begann

seine Wirksamkeit mit 2 hölzernen Pressen, verstand aber durch uner-
müdliche Thätigkeit und Umsicht es dahin zu bringen, daß er 1840 in
seinem neuerbauten Hause die Druckerei von 2 Schnellpressen und 25
eisernen Handpressen mit Gravir- und Guillochiranstalt, Schriftgießerei,
Stereotypie und Xylographie vereinigen konnte. Bereits 1823 hatte
Teubner mit seiner Buchdruckerei eine Buchhandlung verbunden, die sich
durch ihren philologischen Verlag und correcte Classiker-Ausgaben einen
großen Ruf erwerben sollte. Eine Zweigdruckerei in Dresden war schon
1832 gegründet worden.

Teubner war eifrig für einen sorgsamen Druck bemüht und hat in
dieser Hinsicht wesentliche Verdienste um die Kunst; auch richtete er sein
Streben auf Eleganz in allen Accidenzarbeiten und auf den Farbendruck.
Die von ihm herausgegebene Jubelschrift des Dr. C. Falkenstein, die
trotz aller innern Schwächen ein bedeutendes und interessantes Denkmal
der Jubelpresse von 1840 bleibt, zeigt, was das Geschäft auf den verschiedenen Feldern des graphischen Gebiets zu leisten vermochte. Sind
diese Leistungen auch durch die der jetzigen Zeit überflügelt, so waren
sie doch für die damalige Zeit bedeutend, und die Teubner'sche Buchdruckerei gehörte mit zu den in der neueren Richtung tonangebenden.

Andere Buchdrucker und Verleger.

Fr. Ries

Gleich Tauchnitz wendete Friedrich Ries (geb. zu Offenbach am
6. August 1804) seine Thätigkeit der Herstellung orientalischer Werke
zu. Sein Geschäft eröffnete er 1829 und unternahm zuerst das Wag-
stück, hieroglyphische Typen in seiner 1831 eingerichteten Schriftgießerei
herzustellen. Die hieroglyphische Bilderschrift besteht aus gegen 1500
verschiedenen Figuren. Diese, die in mancherlei Größen, entweder
nach rechts oder nach links gewendet, benutzt werden und oft einander
sehr ähnlich sehen, in ein richtig gegliedertes Typensystem zu bringen, läßt
sich wohl als ein typographisches Wagniß bezeichnen. Es gelang jedoch,
und die Alphabeta genuina Aegyptiorum; Dr. M. G. Schwartzes
„Systeme der altägyptischen Schriftentzifferung"; vor allen aber das
Riesenwerk Dr. Schwartzes „Das alte Aegypten" zeigen, was die Officin
leisten konnte, und dies war nach damaligen Verhältnissen Bedeutendes.
1840 konnte Ries mit seinen Schriften gegen 300 Sprachen drucken.

Marré, Haak,
Hirschfeld

In derselben Richtung wie Teubner wirkten außer C. H. Marré
(1824—1833), Wilh. Haak (1824—1838), der einen großen Geschmack in allen seinen Arbeiten zeigte namentlich aber C. T. Hirschfeld. Nach einem längern Aufenthalt in Paris, wo er Gelegenheit

hatte seinen Geschmack auszubilden, trat er in das väterliche Geschäft J. B. Hirschfeld und übernahm es 1827 nach dem Tode des Vaters. 1840 beschäftigte er 16 Handpressen, vorzüglich mit Accidenzarbeiten. Seit 1835 verband er Stereotypie und Gravieranstalt mit der Buchdruckerei und führte die verschiedenen Verbesserungen ein. Im Bunt- und Golddruck leistete er Bedeutendes, und das von ihm herausgegebene Tableau in gegen zwanzig Farbenplatten: Typographia jubilans ist eins der bedeutendsten Erzeugnisse der Jubelpresse.

Von den Stammhaltern der Buchdruckerei in Leipzig behauptete noch das Geschäft Breitkopf & Härtel den ihm gebührenden Rang. G. C. Härtel war zwar kein gelernter Buchdrucker, stand aber dem Geschäft in vortrefflichster Weise vor. Er ließ durch Schelter griechische Typen nach Bodoni und Antiquaschriften nach Levrault schneiden und gründete 1805 auch eine Steindruckerei. Die übrigen Zweige dieses ausgedehnten Geschäfts liegen uns hier ferner. Nach dem Tode des Vaters (25. Juli 1827) trat zuerst, 1832, der jüngere Sohn Raymund in das Geschäft; später, 1835, der ältere Hermann und brachten das etwas zurückgegangene Geschäft bald wieder zur alten Blüthe. Hermann Härtel, geb. am 27. April 1803, hatte die Rechte studirt und war 1826 Dr. juris geworden. Die Kunstinteressen zogen ihn mächtig vom Geschäftsleben ab, aber als die Pflicht ihn in dieses rief, warf er sich mit dem ihm eigenen Feuereifer auf dasselbe, ohne deshalb je seinen Kunstinteressen untreu zu werden. Raymund Härtel, geb. am 4. Juni 1810, übernahm speciell die Leitung der Buchdruckerei, welche zur Zeit des Jubelfestes 1840, in dessen Comité Raymund Härtel den Vorsitz führte, mit 2 Schnellpressen und 16 Handpressen, einem Personal von 145 Mitarbeitern und einer Druckleistung wie das Bendemann-Hübner'sche Nibelungenlied in die Schranken treten konnte.

Von den älteren rein buchhändlerischen Firmen, welche durch ihre Verlagsthätigkeit so vieles dazu beigetragen hatten, die Leipziger Typographie zu heben und ihr den Stempel des ernstesten Strebens aufzudrücken, blühte noch eine große Anzahl zu Ende des vierten typographischen Säculums.

Die Weidmann'sche Buchhandlung war im Jahre 1822 in den Besitz von Georg Andr. Reimer in Berlin (geb. am 27. Aug. 1776, gest. am 26. April 1842) übergegangen. Mit ihm kam wieder frisches Leben in das Geschäft, es blieb jedoch nur eine Filiale seines Berliner Geschäfts, bis es im Jahre 1830 durch den Uebergang auf seinen ältesten Sohn, Carl Reimer, und seinen Schwiegersohn, Salomon Hirzel, wieder ein selbständiges Leipziger Etablissement wurde, das

3

sich am Schluß dieser Periode in großer Blüthe befand. Die Weid-
mann'sche Buchhandlung hatte im Laufe der Zeit die Literatur mit einer
Reihe von Schriften der bedeutendsten Schriftsteller bereichert. An die
Werke von Eichhorn, Gauß, Lavater, Joh. v. Müller, Niemeyer, Sulzer,
Zimmermann, Zollikofer, Gellert, von Stolberg, Chamisso, Rückert,
Anastasius Grün und noch vielen anderen gesellte sich eine Reihe vor-
trefflicher Classiker-Ausgaben, von den hervorragendsten Philologen
herausgegeben. Berühmt wurden die Ausgaben der Schriften Vega's.

J. G. W.
Vogel   Im Jahre 1808 übernahm F. C. W. Vogel (geb. den 30. April
1776; gest. den 28. Octbr. 1842) das Crusius'sche Geschäft und vermehrte
den namentlich auf den Gebieten der Theologie, Philologie und der
Orientalischen Literatur angesehenen Verlag durch gleich werthvolle
Werke von Passow, Gesenius, Winer, Koberstein u. a., sowie durch
Erwerbung älteren Verlages. Mit dem Verlag verband er ein aus-
gedehntes Commissions- und Sortimentsgeschäft. Eine von ihm im
Jahre 1811 eingerichtete Druckerei gehörte zu den renommirtesten Officinen
und zeichnete sich namentlich durch den Druck orientalischer Werke aus.
Sie war aus den früheren Officinen von Solbrig (gegründet von J. H.
Richter 1685) und von Holle (gegr. von Ab. Heinr. Holle 1736)
entstanden. 1837 folgte der Sohn Wilh. Friedr. Th. Vogel.

J. A. Barth   Die Firma Johann Ambrosius Barth ging 1813 auf den Sohn
Wilhelm Ambrosius Barth über, der eine ungemeine Thätigkeit im
wissenschaftlichen Verlage entwickelte. Barth scheute bei seinen Unternehmungen keine Kosten, wenn es der Förderung der Wissenschaft galt;
auch für die äußere Ausstattung konnte er Opfer bringen, wie das pracht-
volle Werk Heinrich von der Hagens „Minnesänger" zeigt. Barths
Verdienste um die Aegyptologie wurden schon erwähnt. Er war zugleich ein kunstsinniger Sammler, und interessirte sich auch für das allgemeine Wohl des Buchhandels. Seine Liebenswürdigkeit und Jovialität
machten ihn zu einer beliebten Persönlichkeit, so daß die Nachricht von
seinem plötzlichen Tode am 2. Dec. 1851 allgemeine Theilnahme er-
weckte.

J. C. Hinrichs   Die J. C. Hinrichs'sche Buchhandlung wuchs beträchtlich durch
neuen Verlag und Ankäufe. Die Wittwe J. C. Hinrichs' nahm 1819
Chr. Fr. Ad. Rost zum Theilhaber. Staatswissenschaft, Jurisprudenz
und Philosophie waren namentlich die Fächer, welche gepflegt wurden,
vor Allem aber die Bibliographie.

P. G.
Kummer   P. G. Kummers Wirksamkeit für die allgemeinen Interessen wurde
schon früher erwähnt, sie erstreckte sich auch in diese Periode hinein und
er war von 1811—1833 Vorsitzender des Leipziger Buchhändler-

Vereins. Er starb plötzlich am 25. Febr. 1835. Seine buchhändlerisch-literarische Nachlassenschaft wurde dem Archiv des Börsen-Vereins einverleibt. Er war eine eben so biedere als originelle Natur, dabei im Geschäft von einer peinlichen Genauigkeit. Sein Sohn Ed. Kummer war bereits seit 1818 Mitbesitzer des Geschäfts, welches durch viele Anläufe sehr erweitert wurde.

Die berühmte Firma Fr. Heinr. Gleditsch war 1805 in dem Besitz von Enoch Richter und wurde noch 1807 durch Vereinigung mit dem J. S. Heinsius'schen und anderen Verlag vermehrt. Zum Betrieb der großartigen Unternehmungen wurde noch eine Buchdruckerei eingerichtet. Die Ersch und Gruber'sche Encyklopädie, diese Great Eastern des Buchhandels, welche zeigt, daß auch im Buchhandel dem Unternehmungsgeiste Schranken gesteckt sind, die man nicht ungestraft überschreiten kann, konnte nicht recht in Fahrt kommen; Richter hatte seine Kräfte überschätzt, und sah sich 1830 genöthigt, das Geschäft aufzugeben. Der größte Theil des Verlages kam in die Hände F. A. Brockhaus'; der Rest wurde zersplittert. Die Buchdruckerei und das bekannte Dictionnaire von Thibaut übernahm Carl Ph. Melzer, der bereits im Besitz der Officin des am 28. April 1789 verstorbenen Ulrich Chr. Saalbach sich befand. Das Geschäft Melzers war ein sehr blühendes, als er jedoch älter wurde, trennte er sich von einem Theil des Verlages; er starb am 1. April 1846.

Die Baumgärtner'sche Buchhandlung war von Adam Gotthelf Baumgärtner (geb. 14. Septbr. 1759) ins Leben gerufen. Den Stamm für dieselbe hatte der kleine Schirmer'sche Verlag gebildet. Baumgärtner besaß einen bedeutenden Speculationsgeist und einen offenen Blick für die buchhändlerischen Bedürfnisse der Zeit, namentlich in Betreff der Technologie, und verlegte und kaufte in vortheilbringender Weise. 1808 sonderte er den Zeitschriften-Debit sowie eine Anzahl von Unternehmungen, die mehr einen rein kaufmännischen Vertrieb erforderten, z. B. Kinderspiele und die Erzeugnisse einer 1809 angelegten Spielkartenfabrik, aus seinem Verlagsgeschäft aus, und gründete für diese eine besondere Firma: Industrie-Comptoir, die später Eigenthum seines Bruders Heinrich wurde. Am 15. Mai 1825 übergab er das ganze Verlagsgeschäft seinem zweiten, allein noch lebenden Sohne Julius, der es im Sinne des Vaters († 28. Nov. 1843) fortsetzte und namentlich den technologischen, landwirthschaftlichen und pädagogischen Verlag förderte.

Heinr. Wilh. Hahn, seit 1792 Besitzer der Hahn'schen Hofbuchhandlung in Hannover, kaufte 1810 die Verlagshandlung von Kaspar

3*

Fritsch, die damals über 100 Jahre geblüht hatte und noch heute als Hahn'sche Verlagshandlung in Leipzig blüht. Der Sohn Heinr. Wilh. Hahn wurde am 9. Jan. 1795 geboren, studirte in Göttingen und trat 1818 als Gesellschafter in das Hannover'sche Geschäft. Der jüngere Bruder, Heinrich Bernhard, übernahm 13 Jahre später das Leipziger Geschäft, verkaufte es aber in den vierziger Jahren an den älteren Bruder. Der Verlag ist ein fast rein wissenschaftlicher und pädagogischer geblieben und weist eine lange Reihe Werke von den tüchtigsten Gelehrten besonders Pädagogen, auf als von: Ewald, Göbele, Heyne, Grotefend, Ottrogge, Kohlrausch, Bolger u. m. a. Eine Hauptzierde des Verlags sind die Monumenta Germaniae historica, vom Freiherrn von Stein ins Leben gerufen, von Georg Heinrich Pertz geleitet.

J. A. G. Weigel   Als vielfach, namentlich um den Kunst- und Antiquariats-Handel, verdient ist Joh. Aug. Gottl. Weigel zu nennen. Er war in Leipzig am 23. Febr. 1773 geboren und lernte in Gleditsch' Buchhandlung. 1793 übernahm er die Leitung der Müller'schen Buchhandlung und wurde nach dem Tode seines Vaters, 1795, an dessen Stelle Auctionator der Universität. Er errichtete nun zuerst ein Antiquariat und konnte bereits im Jahre 1807 einen Lagerkatalog von über 15,000 Werken unter dem Titel Apparatus literarius, der sehr vermehrt wieder aufgelegt wurde, erscheinen lassen. Später folgte die Gründung einer Verlagsbuchhandlung, in welcher eine Reihe von vorzüglichen Werken, namentlich philologischen Inhaltes, erschien, bei deren Herausgabe Weigel selbst mit seiner außerordentlichen Bücherkenntniß vorarbeitend und sehr fördernd mitwirkte. Er war zugleich ein eifriger Kunstfreund und Kenner und besaß eine vorzügliche Sammlung von Originalhandzeichnungen, Gemälden, Kupferstichen, Radirungen und xylographischen Arbeiten, von welchen er 1836—1845 unter dem Titel „Aehrenlese auf dem Felde der Künste" eine werthvolle Beschreibung herausgab. Er starb am 25. December 1846.

L. Voß   Am 21. März 1818 übernahm Leopold Voß (geb. 17. Dec. 1793) das von seinem Vater, Georg Voß, 1791 gegründete, später nach Dessau übersiedelte Verlagsgeschäft. Der Druck der Zeit lastete damals schwer auf dem Geschäft des Vaters, wie auf dem Buchhandel überhaupt, so daß Leopold Voß zuerst den Entschluß faßte, sich dem Waarenhandel zu widmen. Die allgemeine Begeisterung riß auch ihn mit fort und er trat in das Banner der freiwilligen Sachsen, aus dem er später als Officier seine Entlassung nahm. Da der Vater das Geschäft aufzugeben beabsichtigte, mußte Leopold sich nunmehr entscheiden. Der Buchhandel behielt den Sieg, wozu sich die Wissenschaft nur Glück wünschen konnte,

denn Voß wendete seine Verlegerthätigkeit namentlich den „schweren"
Werken zu, die in keinem Falle einen schnellen, öfters gar keinen materiellen
Gewinn abwerfen. Es seien nur genannt: Karsten, „Encyklopädie
der Physik", Ehrenberg, „Mikrogeologie", und dessen „Infusionsthier-
chen als vollkommene Organismen", die Gesammtausgaben von Kant
und Herbart und die Werke von Rud. Wagner, Burdach, Caströn,
Choulant, Sömmering u. s. w. Ganz ausgeschlossen blieb jedoch die
schöne Literatur nicht. Schon der Vater hatte die, einst so geschätzte
„Zeitung für die elegante Welt" gegründet. Seit 1832 war Voß
Commissionär der Kaiserlichen Akademie der Wissenschaft zu St. Petersburg, wodurch viele werthvolle Verbindungen in Rußland angeknüpft
wurden.

Manche ältere Verlagsfirma wäre wohl noch zu nennen. Die Dk. Frd.
Schwickert
Dyk'sche Buchhandlung, welche am 1. Januar 1814 in den Besitz
Carl Chr. Kirbachs († 1845) aus Halle gelangt war und in tüchtiger
Weise geleitet wurde; der E. B. Schwickert'sche Verlag, von dem
dasselbe gilt. Die Fest'sche Verlagshandlung und Buchdruckerei kam
1835 an E. Polz, der letztere unter seinem Namen fortführte.

Die von Joh. Benj. Georg Fleischer 1788 gegründete Buch- Fr. Fleischer
handlung ging am 1. April 1819 auf seinen Sohn Friedrich Fleischer
über, der den Verlag namentlich durch Ankäufe sehr vergrößerte.
Ganz besondere persönliche Verdienste erwarb sich Fleischer um die
Institutionen des Börsen-Vereins und der Leipziger Corporation, und
er hat einen Hauptantheil an dem Inslebentreten derselben.

Ernst Fleischer, ein Sohn des Leipziger Buchhändlers Gerhard E. Fleischer
Fleischer, genoß eine sehr sorgfältige Erziehung und bildete sich auf
Reisen aus, von welchen er die Vorliebe für die ausländische Literatur
mit nach Hause brachte, die er auch durch seinen, am 1. Aug. 1822 begründeten Verlag bekundete, indem er sehr correcte und für damalige
Zeit musterhaft ausgestattete Ausgaben ausländischer Classiker druckte.
Er war in Bezug auf gute Ausstattung einer der Bahnbrecher. Der
deutsche Verlag wurde jedoch nicht vernachlässigt, so druckte er z. B. die
kostbare „Naturgeschichte" und „Die Vögel Deutschlands" von
Naumann, Retzsch, „Umrisse zu Shakespeare" u. a. 1829 übernahm er
den ganzen Verlag seines Vaters. Mitten in seinem emsigen Schaffen
rief ihn der Tod am 18. Juni 1832 ab. Das Geschäft ging auf Ph.
Mainoni über.

Der Begründer der Firma Joh. Friedr. Hartknoch war zu J. Fr.
Hartknoch
Goldap in Ostpreußen am 28. Septbr. 1740 geboren. Er studirte
in Königsberg, die Noth zwang ihn aber zum Buchhandel über-

zugehen. Im Jahre 1763 etablirte er sich in Mitau, zog jedoch 1767 nach Riga und brachte das Geschäft durch seine verständige Leitung rasch in die Höhe. Der Sohn Joh. Friedrich (geb. 1769) führte das Geschäft mit gleicher Thätigkeit fort, gerieth aber in unangenehme Differenzen mit der russischen Regierung, wodurch ihm der Aufenthalt in Riga verleidet wurde. Das Sortimentsgeschäft verkaufte er und zog mit seinem Verlage nach Leipzig. Er pflegte nicht allein diesen auf das sorgfältigste, sondern nahm mit Göschen, Kummer, Vogel u. a. thätig theil an allen Reformen im Interesse des geschäftlichen Betriebes und des literarischen Rechts. Er starb in Folge eines unglücklichen Sturzes von einer Höhe hinab am 19. Septr. 1829. Das Geschäft fiel an einen seiner Söhne, Georg, der es jedoch nicht mit der Energie des Vaters fortsetzte. Nach dem Tode Georg's, 1832, fiel das Geschäft an seine Wittwe, die es im April 1834 ihrem zweiten Manne Carl Otto Baumann cedirte.

Jüngere Firmen   Von den jüngeren Firmen, die in dieser Periode ihre Wirksamkeit begannen, diese aber erst in der folgenden voll entfalteten, sind unter anderen zu nennen: Carl Fr. Köhler, Chr. E. Kollmann, Fr. Volckmar, Wilh. Nauck, A. Wienbrack, Ph. Reclam jun., Rob. Friese, F. L. Herbig, Jul. Klinkhardt, Wilh. Engelmann, Otto Wigand, Bernh. Tauchnitz. Neben dem wissenschaftlichen und belletristischen Verlag machte auch der illustrirte seine Forderungen geltend, auf welche Leipzigs Buchdruckereien jedoch nicht in dem Maaße eingerichtet waren, wie auf die Bedürfnisse der strengeren Wissenschaft. Daß Leipzig auch im illustrirten Druck die Führung schnell übernehmen konnte, verdankte es namentlich den Bestrebungen Joh. Jak. Webers und Georg Wigands.

Musikalien-handlungen   Unter den Musikalienhandlungen sind neben **Breitkopf & Härtel** vorzugsweise **Joh. Fr. Carl Hofmeister** (gest. 10. Febr. 1812) zu nennen. Er gründete am 1. Dec. 1800 im Verein mit **Ambr. Kühnel** das **Bureau de musique**, welches 1814 **C. F. Peters** erwarb. 1828 ging es auf **G. G. S. Böhme** über. — **Fr. Hofmeister** (geb. 24. Jan. 1782) errichtete 1807 unter seinem Namen ein Musikaliengeschäft. Begünstigt durch die musikalischen Local=Verhältnisse Leipzigs, gelang es ihm durch seine umsichtige Thätigkeit und glückliche Ankäufe, sich zu einem der bedeutendsten Musikverleger Deutschlands emporzuschwingen. Besondere Verdienste erwarb sich Hofmeister bei Gründung des Vereins der Musikalienhändler, so wie durch seine Bestrebungen für die Herbeiführung geregelter Geschäftsverhältnisse in dem musikalischen Verlagshandel. Hofmeister verlegte auch noch bedeutende naturwissenschaftliche, namentlich botanische, Werke und besorgte den Debit der großen Naturgeschichte des Hofraths L. Reichenbach in Dresden.

Die Firma C. F. Whistling wurde 1835 gegründet; das von Heinr. Alb. Probst 1823 etablirte Musikaliengeschäft ging am 1. Jan. 1831 auf Carl Fr. Kistner († 1844) über. Der Musikverlag von C. A. Klemm datirt aus dem Jahre 1821 und wurde von 1838 ab von Chr. Bernh. Klemm fortgesetzt.

Die Privatvereine zur Begründung der Ordnung in den geschäft- Der Börsen-
vereinlichen Verhältnissen des Buchhandels hatten zwar ihren großen Nutzen gestiftet, sie besaßen aber begreiflicherweise keine legislatorische Gewalt. Bei dem immer wachsenden Umfang des Geschäfts wurde der Wunsch nach einer anerkannten amtlichen Corporation immer dringlicher, und so entstand 1825 der Börsenverein in seiner jetzigen Gestalt. Fr. Campe aus Nürnberg verfaßte den Entwurf zu einer Börsenordnung, die am 30. April 1825 von 101 Handlungen unterschrieben wurde, die Statuten wurden 1831 erweitert und traten als Ordnung für die Buchhändlerbörse in Kraft.

Die schnelle Vermehrung der Mitgliederzahl machte den Gedanken, ein, dem Verein angehörendes geräumiges Local zu schaffen, lebendig. Als demnach 1833 der Antrag gestellt wurde, ein Börsengebäude auf Actien zu errichten, fand derselbe den allgemeinsten Beifall, auch bei der Staatsregierung und den städtischen Behörden die nöthige Unterstützung. Am 26. October 1834 wurde der Grundstein zur Börse gelegt und am 26. April 1836 konnte die feierliche Einweihung stattfinden. Die neuen Statuten wurden am 14. März 1838 von der Regierung bestätigt und somit Festigkeit in den Verein gebracht. Die Zahl der Mitglieder, welche 1825 etwa 100 betrug, war zu Beginn des Jahres 1840 auf über 700 gestiegen. Die Geschäfte von 1252 auswärtigen Buchhandlungen wurden von 78 Leipziger Commissionären besorgt, unter welchen 10 zusammen 565 Firmen vertraten. 1834 wurde das „Börsenblatt für den deutschen Buchhandel" auf Anregung des Leipziger Buchhändler-Vereins ins Leben gerufen, im nächsten Jahre ging es schon als amtliches Organ des Börsen-Vereins in den Besitz desselben über, blieb jedoch bis 1844 unter der Verwaltung des Leipziger Vereins.

So sind wir denn wieder bei einem typographischen Jubeljahre an-
gelangt und zwar bei dem dritten, das in Leipzig festlich begangen
werden sollte. Und mit welchen stolzen Gefühlen konnte Leipzig sich zur
Begehung der Feier rüsten!

Während im Jahre 1640 fünf Buchdruckereibesitzer mit 14 Gehülfen,
im Jahre 1740 achtzehn Buchdruckereien mit 138 Gehülfen dem Feste
beiwohnten, zeigt die Liste der Betheiligten im Jahre 1840*) 24 Buchdruckereien mit 232 Handpressen und 11 Schnellpressen und mit 672
Gehülfen, dazu noch 7 Schriftgießereien (von welchen 6 mit Buchdruckereien verbunden waren) mit 62 Gehülfen, schließlich 108 Buchhandlungen (von denen 14 in Händen von Buchdruckereibesitzern) mit
121 Gehülfen. Das Contingent, welches allein das Brockhaus'sche
Geschäft stellte, betrug mehr als die Gesammtzahl der, das Fest von 1740
Feiernden.

Wir wollen nicht die Kette von Festlichkeiten hier schildern, den
glänzenden Aufzug, die Festtafel von 3000 Personen, die höchst interessante
Ausstellung, die herrliche Musikaufführung, das gelungene Volksfest,
den von 4000 Personen besuchten Ball, die glänzende Illumination und
das Feuerwerk; wir können nicht den begeisterten Jubel beschreiben,
der auf dem Markte herrschte, als nach der zündenden Festrede des
jugendlichen Raymund Härtel die Hülle von dem improvisirten Stand-
bild des Meisters fiel. Es war einer der unvergeßlichen Augenblicke,
die jedem Theilnehmer nach dem Verlauf eines Menschenalters noch
eben so lebhaft wie am ersten Tage vor den Augen stehen.

---

*) Die beim Feste betheiligten Firmen mit
ihren Gehülfen waren:

				Latus 313 Gehülfen.	
			J. G. Nagel	mit 9 "
J. B. Andrä	mit 7 Gehülfen.		C. G. Naumann	11 "
Breitkopf & Härtel	61 "		Fr. Ries	34 "
H. A. Brockhaus	190 "		B. G. Teubner	39 "
F. Chr. Dürr	6 "		Ph. Reclam	17 "
F. H. Elbert	7 "		C. Rückmann	20 "
Gb. Fischer	6 "		W. Staritz	8 "
J. B. Glück	2 "		B. Tauchnitz	49 "
J. B. Hirschfeld	46 "		C. Tauchnitz	40 "
J. A. Fr. Höhm	2 "		B. G. Teubner	101 "
Th. Höhm	3 "		J. C. Baier	—
Sturm & Koppe	14 "		B. G. Ch. Vogel	15 "
C. P. Melzer	46 "		Invaliden	30 "
Latus 313 Gehülfen.			Summa 672 Gehülfen.	

Die Gegenwart.

1840—1879.

I.

Leipzig als Sitz des Börsen-Vereins und des buchhändlerischen Commissionsgeschäfts.

Für Leipzig war der 24. Juni 1840 nicht blos ein Freuden- und Jubelfest, sondern ein Moment von eingreifender Bedeutung. Daß Leipzig das Scepter im Reiche Guten- bergs führte, war eine Thatsache; aber das Reich war kein Erbreich, sondern ein Wahlreich. Man hatte zwar Leipzig von allen Seiten aufs Neue gehuldigt, jedoch das Recht, das Scepter zu führen, galt nicht weiter als es der Wille und die Kraft, welche maaßgebend für die Erreichung der Macht gewesen, auch diese Macht ferner zu behaupten verstehen würden. Deßhalb war der 24. Juni 1840 auch ein Tag ernsten innern Einkehrs für Leipzig.

Zwischen diesem Tage und Heute liegen fast 40 Jahre. Ein Blick auf diese wird am besten zeigen, ob das neue Leipzig sich seiner Aufgabe bewußt und dieser gewachsen war.

Will man das Vorgehen Leipzigs in diesem Zeitraume richtig be- urtheilen, so muß seine Thätigkeit von zwei Seiten beleuchtet werden. Man muß Leipzig einerseits in seiner Eigenschaft als Hauptstadt des deutschen Buchhändlerstaates mit allen hieraus erwachsenen Institutionen und als Knotenpunkt aller der Drähte, durch welche die stete Verbindung mit den großen und kleinen Orten des Staates unterhalten wird, ins Auge fassen, andererseits seine Bedeutung als buchhändlerische und typo- graphische Fabrik- und Industriestadt prüfen.

1. Der Börsen-Verein der deutschen Buchhändler

hatte seit dem Jahre 1834 sein eigenes Organ, seit 1836 sein eigenes
Haus. In der Ostermesse 1869 konnte der Börsenvorstand den Mit-
gliedern anzeigen, daß dieses Haus schuldenfreies Eigenthum des Vereins
sei. An diesem glücklichen Erfolg hatte die Königl. Sächsische Staatsregierung einen ganz wesentlichen Antheil, durch den von ihr seit Er-
richtung der Börse gewährten jährlichen Zuschuß von 750 Thalern.

Wachsthum   Eben so rasch wie das Vermögen stieg die Wirksamkeit und der
Einfluß des Vereins. Namentlich hat er eine sehr günstige Einwirkung
auf die Gesetzgebung das geistige Eigenthumsrecht betreffend geübt.
Hier war es bald der Verein, der die Initiative ergriff, bald wurde
dieser von den Regierungen veranlaßt, seine Ansichten auszusprechen.

Wirksamkeit   Bereits im Jahre 1833 petitionirte der Verein bei der Kgl. Württem-
bergischen Regierung um Hülfe gegen den Nachdruck. Im Börsen-Verein
selbst wurde kein Nachdrucker geduldet. Im Jahre 1834 erbat sich die
Kgl. Sächsische Regierung ein Gutachten in Betreff der Feststellung des
literarischen Rechtszustandes in den Staaten des Deutschen Bundes.
Nach 17 Sitzungen übergab das ad hoc ernannte Comité einen vollständigen Entwurf, welcher auf die ganze einschlägige Gesetzgebung in
Deutschland einen großen Einfluß ausüben sollte. Am 11. Jan. 1837
erschien das Preußische Nachdrucksgesetz; am 9. Nov. desselben Jahres
der Bundesbeschluß. Bei allen erlangten Vortheilen blieb jedoch die
Verschiedenheit der Gesetzgebung der einzelnen Staaten Deutschlands
ein großer Uebelstand, namentlich für den Centralplatz des geschäftlichen
Verkehrs, weshalb der Verein 1841 eine Denkschrift an die Kgl. Sächsische
Staatsregierung richtete: sie möge auf Gleichmäßigkeit der gesetzlichen
Bestimmungen hinwirken, zugleich auf Abschluß von Verträgen mit dem
Auslande. 1842 wurde eine zweite Denkschrift über Censur und Preß-
freiheit in Deutschland ausgearbeitet, der sich im Jahre 1845 eine dritte
über die Organisation des deutschen Buchhandels anschloß. Auch in den
Jahren 1856 und 1864 wurden Gutachten des Vereins eingeholt. Im
Jahre 1868 beantragte das Bundeskanzleramt, Sachverständige zu
wählen, um sie zu den Berathungen eines Gesetzes zum Schutze des
Urheberrechtes im Norddeutschen Bund beizuziehen. Dieses Gesetz vom

11. Juni 1870 wurde Reichsgesetz. Auch das Reichskanzleramt trat in Verkehr mit dem Verein und veranlaßte die Bildung eines Ausschusses, um den Entwurf eines internationalen Schutzgesetzes zu berathen. Aus diesem Allen geht hervor, welche Wichtigkeit für das Ganze in der wohlgeordneten Organisation liegt.

Für die Ordnung im eigenen Hause geschahen ebenfalls manche wichtige Schritte, unter denen die Bestimmungen über die Haftpflicht bei Commissionssendungen, welche im Februar 1848 517 Unterschriften erlangten, besondere Bedeutung hatten.

Im Jahre 1844 begann die Aufstellung der Bildnisse verstorbener, um den Buchhandel besonders verdienter Vereins-Mitglieder, wofür im Jahre 1864 ein besonderes Regulativ festgesetzt wurde. Der Posten eines Archivars wurde 1855 geschaffen.

Das Börsenblatt.

Ein sehr wichtiger Theil der Wirksamkeit des Vereins kommt auf das Börsenblatt das „Börsenblatt für den deutschen Buchhandel", dieses beste Bindemittel der Mitglieder, zugleich eine reiche Einnahmequelle. Seit Januar 1867 erscheint dasselbe täglich 1½—2 Bogen stark. Die Redaction führt seit 1856 Jul. Krauß. 1874 wurde beschlossen, neben dem Börsenblatt auch „Publikationen des Börsenvereins" in zwanglosen Heften erscheinen zu lassen; eine besondere Serie derselben bildet das „Archiv zur Geschichte des deutschen Buchhandels", welches als Vorläufer einer „Geschichte des Buchhandels" dienen soll, die laut Vereins-Beschluß von 1878 erscheinen wird. Für die Vorarbeiten wurden zugleich 5000 Mark bewilligt.

Die jährliche Ausstellung.

Eine recht nützliche Institution könnte bei größerer Planmäßigkeit die Ausstellung die jährlich zur Zeit der Abrechnung stattfindende Ausstellung von neuen Erscheinungen werden. Wie sie jetzt ist, hat sie nur eine mäßige Bedeutung und es haften ihr verschiedene Mängel an, von denen der Raummangel nicht der kleinste ist.

Die Bibliothek

bildet ein, wenn auch nicht Geldgewinn bringendes, so doch sehr Die Bibliothek werthvolles Besitzthum des Vereins. Aus kleinen Anfängen und namentlich aus Schenkungen entstanden, wuchs sie im Verborgenen unter der liebevollen Pflege des bekannten und gelehrten Alb. Kirchhoff heran. Als 1869 der erste Bibliotheks-Katalog, ebenfalls unter der Leitung Kirchhoffs gedruckt, erschien, nahm man mit Staunen wahr, daß der Verein einen Schatz von nahezu 2000,

zum Theil umfangreichen Werken fein nennen konnte. In demfelben
Jahre wurde F. H. Meyer zum befoldeten Bibliothekar beftellt. Die
Sammlung ift eine rein fachliche und befchränkt fich auf Werke über
Buchhandel, das literarifche und das Preßrecht, die Technik der Hülfs-
gewerbe und die Bücherkunde. 1879 umfaßte fie an Büchern über
6000 Nummern. Eine große Vermehrung erhielt die Bibliothek durch
die von dem Verein 1877 befchloffene Erwerbung der Sammlungen von
Heinrich Lempertz in Cöln, welche die Summe von 18,000 Mark
kofteten. Sie betreffen die Vorgefchichte und Gefchichte des Buchdruckes
und des Buchhandels: Donaifragmente, Xylographifche Drucke, Spielkarten, Ablaßbriefe, Portraits, Druckproben, Signete, Autographen,
Papierproben, Einbandsdecken, Abdruck des Siegels Gutenbergs ꝛc.
Alb. Kirchhoff, von der Univerfität Leipzig zum Doctor ernannt,
fchenkte in großherzigfter Weife der Bibliothek feine Sammlungen, zu-
nächft eine über 1000 Nummern umfaffende Bibliothek, ferner feine,
die Lempertz'fche vielfach ergänzende Collection von Seltenheiten. Fortwährend Bereicherungen durch Ankäufe und Gaben finden ftatt, und da
fteht wieder Alb. Kirchhoff obenan, der in feinem Intereffe für die
Bibliothek nie erkaltet. Bei forgfamer Pflege und planmäßiger Ausfüllung der noch vorhandenen Lücken wird diefe Bibliothek einzig in
ihrer Art daftehen. Sie ift in würdigfter Weife in einem dazu befonders
eingerichteten Saale des Börfengebäudes untergebracht. Was jedoch die
Nutzbarmachung der hier gefammelten Schätze betrifft, bleibt noch Manches
zu wünfchen übrig. Der Zuwachs ift faft ein zu reicher und plötzlicher
gewefen. Vor allem ift es nothwendig, daß eine Zeit lang mit bedeutenden Erwerbungen fiftirt wird, damit Alles geordnet, gebunden,
refpective ein vollftändiger Katalog gedruckt werden kann.

Das Unterftützungswefen

hat in dem Börfen-Verein einen eifrigen Förderer gefunden, wenn er
fich auch eines directen Eingreifens enthalten hat. Er gewährt dem in
Berlin domicilirten Unterftützungs-Verein für Principale fowohl als für
Gehülfen einen jährlichen Zufchuß von 7500 Mark und gelegentliche
Extrabewilligungen, und behält fich nur feinen Einfluß auf die Organi-
fation vor. Der Unterftützungs-Verein disponirt über einen Refervefond
von 162,975 Mark, außerdem über bedeutende Legate. Im Jahre 1878
fteuerten 1738 Principale und 818 Gehülfen 18,574 Mark. Ausgezahlt
wurden 252 Unterftützungen im Betrage von 40,909 Mark. Der erfte
Begründer war George Gropius in Berlin, dem auch im großen
Börfenfaale eine marmorne Ehrentafel errichtet ift.

2. Das Leipziger Commissionsgeschäft.

Der Börsenverein zählte im Jahre 1878 etwa 1200 Mitglieder, Der Berlehr eine stattliche Zahl zwar, aber noch nicht der vierte Theil der mit einander über Leipzig im Verkehr stehenden Buchhändler.

Dieser Verkehr ist es, welcher den Commissionshandel in Leipzig schuf, eine in ihrer Ausdehnung dem deutschen Buchhandel so eigenthümliche und für Leipzigs Stellung im Buchhändlerreiche so bestimmende Einrichtung, daß es hier wohl am Platze sein dürfte, diese, oft warm bewunderte, oft bitter angefeindete Organisation, die allen Stürmen zu trotzen scheint, etwas näher ins Auge zu fassen.

Ein deutscher Verleger steht in der Regel mit 7—800 Sortimentshandlungen in Verbindung; nicht selten mit 1000 ja bis zu 2000 hinauf. Sollte nun jeder Verleger jedem Sortimentshändler jedes einzelne Buch, jedes Heft oder gar jede Zeitschriftennummer direct zustellen und letzterer seinerseits dem ersteren jeden einzelnen Bestellzettel, jeden Betrag für abgesetzte Bücher, oder jeden rückgehenden Commissionsartikel direct zukommen lassen, so würden, trotz aller Erleichterungen seitens der Post, eine unerschwingliche Arbeitslast und solche Kosten entstehen, daß der Vortheil in vielen Fällen absorbirt werden, in den meisten aber ein directer Nachtheil entstehen würde.

Hier greift nun das Leipziger Commissionsgeschäft vermittelnd Das Commin den Zwischenverkehr von etwa 5000 Buch-, Kunst- und Musikalien sionsgeschäft Handlungen ein, von welchen jede einen Commissionär in Leipzig hält*).

„Will der, außerhalb Leipzigs wohnende Verleger Circuläre, Zettel, Bücher versenden, so packt er alle für seine verschiedenen Kunden unter die Sortimentshandlungen bestimmten Zettel oder Packete in ein Postpacket oder in einen Ballen und sendet dies Alles an seinen Leipziger Commissionär. In dieser Weise strömen von verschiedenen Seiten alle für eine Sortimentshandlung bestimmten Sendungen bei deren Commissionär zusammen, der nun Alles, was für diese eine Handlung bestimmt ist, in ein Packet vereinigt und an diese expedirt. Zettel,

---

*) Die nachfolgend citirte Stelle ist dem soeben in dritter Auflage bei J. J. Weber in Leipzig erschienenen Werkchen Carl B. Lorck's: „Die Herstellung von Druckwerken" entnommen.

Journale und sehr eilig verlangte Bücher werden gewöhnlich einmal wöchentlich mit der Post, alles Andere, ebenfalls in der Regel wöchentlich, in Ballen per Eisenbahn abgesendet.

Wie der Verleger mit seinen Sendungen nach Leipzig, so macht es seinerseits auch der Sortimenter. Alle seine Bestellzettel und die an die Verleger zurückgehenden Bücher gelangen erst vereinigt an seinen Commissionär in Leipzig, der die Vertheilung an die Commissionäre der betreffenden Verleger besorgt. Alle Sendungen von der einen und von der andern Seite verstehen sich franco Leipzig.

Bei der jährlichen Abrechnung in der Ostermesse und bei allen im Laufe des Jahres vorkommenden Zahlungen wird es ebenso gehalten. Der Sortimenter sendet an seinen Commissionär die ganze Summe, die er an verschiedene Verleger schuldet, mit Angabe, wie viel ein jeder zu bekommen hat. Der Commissionär fertigt seinerseits eine Liste aller der Zahlungen, die alle seine Committenten an eine und dieselbe Verlagsfirma zu leisten haben, und zahlt dies auf einmal an den Commissionär der letzteren. Da in dieser Weise zwei Commissionäre sich oft gegenseitig 25—50 Listen zu behändigen haben, so werden diese Listen von Beiden aufsummirt und nur die Differenz bezahlt, so daß manchmal viele Tausende durch baare Zahlung von ganz kleinen Summen ausgeglichen werden.

Für die Nichtbuchhändler mag dies noch etwas unklar sein; wir wollen es durch ein Beispiel aus der Wirklichkeit faßlicher zu machen versuchen.

Gerold in Wien will von Justus Perthes in Gotha 10 Exemplare: „Stielers Handatlas" haben. Gerold sendet nun von Wien seinen Bestellzettel (zugleich mit solchen an andere Verleger) an seinen Commissionär in Leipzig, Haessel; Haessel liefert diesen Zettel an Perthes' Commissionär, die Rein'sche Buchhandlung, ab; Rein schickt den Zettel (zugleich mit allen anderen Bestellzetteln, die für Perthes bei ihm eingelaufen sind) an Perthes. Perthes packt das Packet mit den 10 Exemplaren Stielers Handatlas für Gerold (zugleich mit allen für andere Sortiments-Buchhandlungen bestimmten Packeten) in einen Ballen und sendet diesen an Rein. Rein giebt das betreffende Packet an Haessel und Haessel schickt es (mit allen anderen für Gerold eingelaufenen Packeten) in einem Ballen an den Letztgenannten.

Schickt nun Gerold zur Ostermesse von den 10 Exemplaren Handatlas 4 zurück, so gehen sie denselben Weg, nur in umgekehrter Reihenfolge: von Gerold an Haessel, von Haessel an Rein, von Rein an Perthes. Das Geld für die abgesetzten 6 Exemplare macht genau denselben Weg.

Dieser Geschäftsgang sieht zwar sehr schwerfällig und complicirt aus, ist aber in der Praxis äußerst einfach, und die Organisation bei den unendlich vielen Schriftstücken, Journalen und Bücherpacketchen eine so exacte und billige, daß selbst von Leipzig weit entfernte Städte, die jetzt durch die Eisenbahn zeitlich kaum eine Stunde aus einander liegen, für gewöhnlich ihre Rechnung dabei finden, über Leipzig mit einander zu verkehren. Vereinfacht und beschleunigt wird natürlich das Geschäft bedeutend, wenn die betreffende Verlagshandlung ein Aus-lieferungslager bei ihrem Commissionär in Leipzig hält, so daß dieser sofort das verlangte Buch an den Commissionär der Sortimentshand-lung liefern kann. Die Leichtigkeit des Verkehrs durch die Eisenbahnen hat den Usus, Lager in Leipzig zu halten, zum Nachtheil des Allgemeinen sehr beschränkt."

Einen ganz wesentlichen Vorschub bei dem Commissionsgeschäft leistet Die Bestell-anstalt.

Die Bestellanstalt für Buchhändler-Papiere.

Wenn man bedenkt, daß die in Leipzig ankommenden Posten an die Leipziger Commissionäre täglich etwa 50,000 Circulare, Bestell-zettel und Geschäftspapiere aller Art bringen, und daß diese früher durch besondere Boten an die hundert verschiedenen Commissionäre überbracht werden mußten, so läßt es sich denken, welch ein großes Personal erfor-derlich war, um diese Arbeit zu besorgen, und wie leicht die kleinen Zettel verloren gingen oder unrichtig abgegeben wurden. Frug man im Geschäft nach einem Markthelfer oder Burschen, so lautete die Antwort: „trägt Zettel aus". Zu den unumgänglichen Verlusten an Zeit und Zettel kam der verschuldete. Durst ist eine allgemein menschliche Schwäche und der Leipziger Markthelfer machte keine Ausnahme. In der sogenannten „kleinen Börse" ging es beim Schoppen recht lebhaft zu. Es war nicht wohl möglich, die Leute in der Verwendung der Zeit zu controliren und ihre Westentaschen waren berüchtigt als Höhlen des Unglücks für die Zettel, die sich einmal in diese hinein verirrt hatten. Je mehr das Commissions-geschäft und Leipzigs räumliche Ausdehnung zunahmen, um so größer wurden die Unzuträglichkeiten.

Es muß deshalb als ein außerordentliches Verdienst des ver-storbenen Buchhändlers und Stadtraths Fr. Fleischer betrachtet werden, daß er im Jahre 1842 die Einrichtung der Bestellanstalt durchsetzte. Dieselbe regelt den internen Zettelverkehr der Leipziger

4

Commiffionäre in derselben Weise, wie der Commiffionshandel den Verkehr der auswärtigen Buchhändler. Sie hat sich als eine förmliche Stadtpost für den Buchhandel ausgebildet, und gewährt fast dieselbe Sicherheit in der Besorgung. Jeder Commiffionär liefert nach Ankunft der Postsendungen von außen alle die von seinen Committenten eingegangenen Schriftstücke en bloc an die Bestellanstalt, dort sortiren die Angestellten alle die Zettel einzeln nach den Commiffionären der Adreffaten und bringen sie den Commiffionären derselben mehrmals täglich ins Haus, ebenfalls en bloc. Der Commiffionär vertheilt sie nun in Behälter, von welchen jeder Committent eins für sich hat. Die durch diesen Verkehr entstehenden Kosten betragen circa 14,000 Mark jährlich, die auf die einzelnen Commiffionäre respective Verleger Leipzigs nach Taxation von seiten der Vorsteher der Anstalt repartirt werden. Der höchst besteuerte Commiffionär zahlt 1000 Mark jährlich, die niedrigst besteuerte Claffe nur 3 Mark. Der Gewinn an Geld, Zeit, so wie an Sicherheit ist ein ganz außerordentlicher; 3 Sortirer und 4 Austräger, die zeitweilig auch als Sortirer arbeiten, durch 3 oder 4 Aushelfer unterstützt, besorgen eine Arbeit, wozu sonst 80—100 Markthelfer oder Burschen erforderlich gewesen wären. Der Gedanke, in ähnlicher Weise eine Packetbeförderungsanstalt zu errichten, ist öfters ventilirt worden, stieß jedoch auf Hinderniffe, die bis jetzt nicht zu überwinden waren, wenn sie auch nicht als absolut unüberwinlich zu betrachten sind, wenigstens für ein Consortium von den Verlegern Leipzigs, die nicht zugleich Commiffionäre sind.

Anfang des
Commif-
fionsgeschäfts Die Zahl der in Leipzig durch Commiffionäre vertretenen Buchhandlungen belief sich im Jahre 1878 auf 5130 Firmen, von denen sich 1231 nur mit dem Verlag, 3216 nur mit Sortiment beschäftigen. Die Firmen vertheilen sich auf 1295 Städte; 4012 Firmen in 925 Städten kommen auf das Deutsche Reich; 613 Firmen in 204 Städten auf Oesterreich. 1435 auswärtige Verleger hatten in Leipzig Auslieferungslager, der Commiffionshandel beschäftigte 128 Firmen. Berlin hatte 29 Commiffionäre mit 277 Committenten, Stuttgart 14 Commiffionäre mit 464 Committenten, Wien 30 Commiffionäre mit 514 Committenten, man sieht daraus die enorme Bedeutung des Leipziger Coutmiffionsgeschäfts. Von den 127 Commiffionären haben 4 Firmen mit 1092 Committenten den vierten Theil des Geschäfts in Händen. Die mit der größten Anzahl von Committenten arbeitenden 14 Firmen haben 2429 Handlungen zu vertreten, besorgen also allein die Geschäfte von fast der Hälfte der mit Leipzig in Verbindung stehenden Firmen. Das umfangreichste Commiffionsgeschäft vertritt 387 Firmen und

beschäftigt 74 Personen, eine im Verhältniß zu der Arbeit immer noch unbedeutende Zahl, welche die, namentlich zu Ende der Woche, in der Weihnachtszeit und zur Zeit der Remittenden und der Abrechnung, enorme Arbeit nur durch die ganz vortreffliche Organisation des Commissionsgeschäfts zu bewältigen im Stande ist. Wie dieses gewachsen ist, ergiebt sich daraus, daß Leipzigs Commissionäre im Jahre 1833 nur 1045, im Jahre 1860 2391, im Jahre 1872 3716 Committenten hatten.

Ueber den eigentlichen Umsatz des Buchhandels über Leipzig *Umsatz im Buchhandel* etwas Genaues anzugeben ist nicht möglich. Es werden in der Regel für die approximative Berechnung die Umsätze von vier oder fünf der bedeutendsten Commissionsfirmen zu Grunde gelegt, von welchen die Erfahrung gelehrt hat, daß sie in einem constanten Verhältniß zu den Umsätzen der anderen Firmen stehen. Nach den Angaben des Berichts der Leipziger Handelskammer betrugen die Zahlungen zur Ostermesse 1877 14,744,220 Mark, während die Zahlungen im Laufe des Jahres 1877 13,396,404 Mark ausmachten, dies würde also eine Gesammtsumme von gegen 30 Millionen Mark ergeben. Das Gewicht des Büchergutes wurde auf 9,042,696 Kilogramm geschätzt, von welchen etwa der neunte Theil der Post zufiel.

Die Buchhändler-Lehranstalt.

Wie die Bestell-Anstalt, so ist auch die Buchhändler-Lehranstalt *Die Lehranstalt* ganz eine Schöpfung des Vereins der Buchhändler zu Leipzig und ebenfalls zunächst ein Werk des Stadtraths Fr. Fleischer. Sie wurde am 4. Januar 1853 eröffnet und konnte somit 1878 ihr 25jähriges Stiftungsfest feiern. In den ersten 12 Jahren hatte der jetzige Schulrath Dr. Möbius in Gotha die Direction;- dann folgte 11 Jahre hindurch Dr. Bräutigam und jetzt leitet Dr. Fr. Em. Sachse die Anstalt, die circa 80 Schüler zählt. Ihr bisheriges Local in dem Börsengebäude mußte sie verlassen und hat jetzt ihre Räume in der früheren Nicolaischule.. Das Budget beträgt circa 6000 Mark, das Schulgeld 30 Mark, das Deficit von circa 3500 Mark trägt theils die Casse des Leipziger Vereins, theils wird es durch freiwillige Beiträge gedeckt.

Der Verein der Buchhändler zu Leipzig umfaßt die *Vereine in Leipzig* Vertreter von 342 Firmen. Außerdem giebt es in Leipzig circa 60 Firmen, die nicht Mitglieder des Vereins sind. Das Vereinsvermögen beträgt circa 60,000 Mark.

Von andern Vereinen sind in Leipzig domicilirt:

Der deutsche Buchdruckerverein, gegründet am 15. August 1869 in Mainz. Derselbe umfaßt Principale aus allen Gegenden

4*

Deutſchlands. Als Organ dienen die, je nach Bedürfniß erſcheinenden „Mittheilungen aus dem deutſchen Buchdrucker-Verein".

Der Verein der deutſchen Muſikalienhändler, gegründet am 23. Mai 1829.

Der Verein der deutſchen Sortimentshändler, gegründet am 1. September 1863 in Koblenz.

Der Leipziger Verleger-Verein, zur Herbeiführung und Aufrechterhaltung eines ordnungsmäßigen Verkehrs.

Der Kreis-Verein „Sachſen" des deutſchen Buchdrucker-Vereins.

Der Sachverſtändigen-Verein für das Königreich Sachſen.

Der allgemeine Buchhandlungs-Gehülfen-Verein, gegründet am 13. October 1872. Der Verein beabſichtigt die Vertretung der Intereſſen der Gehülfenſchaft, er hat auch eine Kranken-, Sterbe- und Penſions-Caſſe errichtet.

Der Buchhandlungs-Gehülfen-Verein, gegründet am 5. October 1833. Der Verein zählt etwa 120 Mitglieder. Er beſitzt eine Bibliothek, auch eine Unterſtützungs-, Kranken- und Penſions-Caſſe.

Schulz' Adreßbuch Als für den buchhändleriſchen Geſchäftsbetrieb außerordentlich wichtige Hülfsmittel ſind am wichtigſten an dieſem Orte zu nennen O. A. Schulz' „Adreßbuch für den deutſchen Buchhandel" und Naumburgs „Wahlzettel für den deutſchen Buchhandel und die damit verwandten Geſchäftszweige". Schulz' Adreßbuch, dem die obigen ſtatiſtiſchen Angaben über den Commiſſions-Buchhandel entnommen ſind, iſt ein, mit einem immenſen Fleiß abgefaßtes, jährlich erſcheinendes Handbuch, deſſen Werth für den Buchhandel geradezu unſchätzbar genannt werden muß und zu dem kein Land ein Seitenſtück aufweiſen kann. Es wurde 1839 von Otto Auguſt Schulz begonnen. Schulz hatte ſich bereits vielfach mit literariſchen Arbeiten im Intereſſe des Buchhandels beſchäftigt. Er war auch der erſte Redacteur des Börſenblattes und erwarb ſich dann durch das Adreßbuch ein großes Verdienſt um den Buchhandel. Nach dem Tode von O. A. Schulz im Jahre 1867 ſetzt deſſen Sohn, Hermann Schulz, das Adreßbuch in gleich vortrefflicher Weiſe fort. Der erſte Jahrgang umfaßt 171 Seiten, der Jahrgang 1879 aber 772 Seiten. Man kann ſchon hieraus auf das Wachsthum des Buchhandels und den Reichthum der gegebenen Notizen ſchließen.

Naumburgs Wahlzettel wurde von C. W. B. Naumburg (gestorben 1868) im Jahre 1846 gegründet. Er ist dazu bestimmt, den Verlegern die Versendung ihrer Circuläre und Wahlzettel zu ersparen und den Sortimentshandlungen die Bestellungen zu erleichtern. Durch große Pünktlichkeit und Billigkeit der Inseratenpreise, die trotz der seit 1846 mehr als verdoppelten Auflage unverändert geblieben sind, besiegte Naumburg alle Concurrenzversuche. Das Blatt erscheint sechs mal wöchentlich, oft bis zu vier und mehr Brief-Plakat-Bogen stark, und wird jetzt in 3925 Exemplaren als „Manuscript für Buchhändler" gratis versandt.

Naumburgs
Wahlzettel

II.

Leipzig als Verlags- und Druckort.

Es bleibt noch die wichtigste und schwierigste Aufgabe übrig, ein möglichst übersichtliches Bild von Leipzigs Thätigkeit als Druck- und Verlagsort in der Gegenwart zu geben.

Jedermann weiß, daß Leipzig eine große Anzahl von geschäftlichen Etablissements umfaßt, welche den Verlag, den Buchdruck, die Schriftgießerei und andere graphische Gewerbe zum Gegenstand ihrer Wirksamkeit machten; es besitzt vorzugsweise viele großartige Institute, die alle genannten Branchen in sich schließen, so daß es schwer ist zu sagen, ob sie bedeutender als Verlagshandlungen oder als graphische Anstalten sind.

Würde man nun, um Leipzigs bibliographisch-typographische Thätigkeit zu veranschaulichen, streng fachweise vorgehen, was allerdings zur Gewinnung statistischer Resultate der richtigste Weg wäre, so würde man genöthigt sein, die großen Firmen so zu sagen zu viviseciren, die ganzen lebendigen Organismen in einzelne Theile zu zerlegen und mit andern ähnlichen zusammenzuwerfen. Manche Firma würde in fünf bis sechs verschiedenen Abtheilungen zu besprechen sein, ja würde, um die einzelnen Zweige der buchhändlerischen oder graphischen Wirksamkeit gesondert zu betrachten, eine noch weitergehende Theilung vorgenommen, so könnte die Zahl der Wiederholungen sich leicht verdoppeln.

Schlüge man andererseits den lexikalischen, mit N anfangenden und mit Z endigenden Weg ein, so träte die Schattenseite desselben, daß er, wennauch ein für das Nachschlagen bequemer, doch für das Lesen ermüdender und jede Umschau ausschließender ist, in den Vordergrund.

So mangelhaft auch der Ausweg eines Compromisses stets sein mag, welcher das Richtigste mit dem augenblicklich Erreichbaren in Einklang zu bringen sucht, so blieb doch hier, sollten diese Gelegenheitsblätter nicht über die Absicht weit hinaus ausgedehnt werden und post festum kommen, nur übrig, zu einem solchen Compromiß Zuflucht zu nehmen. In dem Folgenden sind demgemäß drei große Gruppen aufgestellt und die einzelnen Institute in eine derselben eingeordnet, je nach ihrer hauptsächlichsten Thätigkeit, letztere jedoch, wenn sie auch über die Grenzen der Gruppe hinausreichte, in ihrer Totalität geschildert. Die angreifbare Seite dieses Verfahrens liegt auf der Hand; sie ist genau dieselbe, welche der Anordnung einer jeden Aufstellung — und eine solche gab ja zunächst Veranlassung zu dieser Schrift — anhaftet.

1) Der illustrirte Verlag und Druck.

Die Luxus- und Accidenzarbeiten.

er bibliopolisch-typographische Zeitabschnitt, der zwar vom Jubeljahre 1840 datirt wurde, eigentlich aber in den dreißiger Jahren seinen Anfang nahm, kann wohl mit vollem Recht als derjenige der Literatur zur allgemeinen Verbreitung nützlicher Kenntnisse und des Aufblühens der mit dieser nothwendig verbundenen Holzschneidekunst bezeichnet werden. Nur die glänzende Periode der deutschen Typographie und der Xylographie in der ersten Hälfte des 16. Jahrhunderts, wo hervorragende Buchhändler und Buchdrucker, von den illustrirenden Groß- und Kleinmeistern unterstützt, eine wunderbare Thätigkeit entwickelten, bietet etwas dem Aehnliches.

Aus diesem Grunde dürfte es auch natürlich sein, die nähere Schilderung Dessen, was Leipzig im Druck und Verlag während dieser Zeit leistete, nicht mit einer Rückkehr zu den alten berühmten Häusern zu beginnen, sondern die Aufmerksamkeit zuerst denjenigen jüngeren Firmen zuzuwenden, welche in Bezug auf die illustrirte Literatur und die von derselben untrennbare Verallgemeinerung des Sinnes für gute Ausstattung an Druck, Papier und Buchbindung den Anstoß gaben.

Es ist ganz erklärlich, daß dieser nicht vorzugsweise von den alten, in festen Bahnen ruhig vorwärts schreitenden Firmen ausgegangen

ist; es handelte sich ja um eine Art von Revolution, und begreiflicherweise überläßt das Alter, selbst bei aller Sympathie für Verbesserungen, die Wagnisse einer solchen lieber den jüngeren Kräften.
In diesem Sinne sind zwei Männer an die Spitze dieses Abschnittes
gestellt, welche als Bahnbrecher bezeichnet werden müssen, J. J. Weber
und G. Wigand, beide Revolutionäre im besten Sinne des Wortes,
Gesinnungsgenossen in der Totalität ihres Strebens: die Männer der
Kunst und der Literatur zu vereintem Zusammenwirken zu veranlassen,
wennauch in ihrer Art und Weise ganz verschieden; beide keine Buchdrucker, und doch einen mächtigen Einfluß auf die Leipziger Typographie
ausübend, wie nur wenige der eigentlichen Jünger dieser Kunst.

Johann Jakob Weber,

am 3. April 1803 in Basel geboren, begann 1818 seine Lehre bei
Emanuel Thurneysen in Basel und conditionirte dann bei Jean
Jacques Paschoud in Genf, Firmin Didot in Paris, Breitkopf und
Härtel in Leipzig und Herder in Freiburg i. Br. Wer die spätere
Wirksamkeit Webers aufmerksam verfolgt, wird unschwer den Einfluß
nachweisen können, den der geschäftliche Betrieb in diesen renommirten
Häusern auf ihn geübt hat.

Im Jahre 1832 wirkte Weber als Leiter der in Leipzig von
Bossange père in Paris eröffneten Filiale.

Keiner, der die Zeit mit Bewußtsein erlebt hat, wird die Auf-
regung im Buchhandel und im Publicum vergessen, welche das von
Charles Knight in London, unter den Auspicien der Society for the
diffusion of useful knowledge im Jahre 1832 herausgegebene
Penny Magazine verursachte. Dieser Blitz zündete bei J. J. Weber.
Mit Energie und großem Geschick setzte er trotz aller entgegenstehenden
technischen und anderen Schwierigkeiten das „Pfennig-Magazin" durch,
welches schnell die damals in Deutschland unerhörte Abonnentenzahl von
60,000 erreichte. Sowohl das für Bossange unternommene „Pfennig-
Magazin", wie auch das für Webers Rechnung zusammen mit dem
berühmten National-Oekonomen Fr. List begründete „National-
Magazin" gingen später in F. A. Brockhaus' Hände über.

Das eigene Geschäft hatte Weber am 1. Aug. 1834 eröffnet. Alle
seine Unternehmungen bekundeten die Neigung für schöne Ausstattung
und Leidenschaft für die Illustration, die ihm eigen blieben und ihm
den Beinamen: „der illustrirte Weber" verschafften. Mignets „Geschichte der französischen Revolution", Sporschils „Kaiserchronik" mit
französischen Stahlstichen eröffneten den Reigen, Thomas a Kempis'

„Vier Bücher von der Nachfolge Chriſti" und Sporſchils „Schweizer-
chronik" brachten ſchon deutſche Stiche. Die Flügel wuchſen, und mit
der Verpflanzung der von Vernet illuſtrirten „Geſchichte Napoleons"
auf deutſchen Boden ward der erſte große Verſuch mit der Holzſchnitt-
Illuſtration gemacht, der Weber nunmehr treu blieb. Wer jetzt ſieht,
mit welcher Leichtigkeit die bedeutendſten illuſtrirten Werke in den vorzüglich eingerichteten Druckereien auf Schnellpreſſen herunter gedruckt
werden, kann ſich wohl kaum eine rechte Vorſtellung von den Schwierigkeiten machen, die damals überwunden werden mußten, wo man weder
das in der Fabrik geglättete Papier, noch eine Satinirmaſchine hatte,
wo ſeine Illuſtrationsfarbe in Deutſchland noch nicht in Gebrauch, die
künſtleriſche Zurichtung noch unbekannt und der Druck von Illuſtrationen
auf der Schnellpreſſe vollends unerhört war. Die Einführung aller
hierauf bezüglichen Verbeſſerungen in Leipzig verdankt man namentlich
den erſten Unternehmungen Webers. Einen weſentlichen Vorſchub
leiſtete hierbei der verſtorbene Friedrich Brockhaus durch das
Intereſſe, welches er als Buchdrucker an dieſen Neuerungen nahm.

Als ein wirkliches Wagſtück folgte nun die Kugler'ſche „Geſchichte
Friedrich des Großen" mit Original-Illuſtrationen von Adolf Menzel.
Die Holzſchneidekunſt war damals in Leipzig eigentlich nur durch einen
tüchtigen Anfänger, Eduard Kretzſchmar, repräſentirt, deſſen Name und
Beſtrebungen im Intereſſe der Xylographie ſo eng mit den Weber'ſchen
Unternehmungen verknüpft ſind, daß wir ihn faſt als den Planeten
Webers bezeichnen könnten, der Licht und Wärme von ihm erhielt. Es
dürfte deshalb hier der geeignetſte Ort ſein, auch ſeiner zu gedenken.

Eduard Kretzſchmar war zu Oſchatz am 21. März 1807 geboren.
Schon frühzeitig äußerte ſich ſeine Neigung für die zeichnenden Künſte;
Armuth zwang ihn aber, als Lausburſche in der Brockhaus'ſchen Buchdruckerei zu dienen; ſpäter wurde er Conditorlehrling, übte dieſes
Geſchäft 11 Jahre und zeigte ſein plaſtiſches Talent, indem er Formen
für Kuchenverzierungen ſchnitt. Als im Jahre 1833 das „Pfennig-
Magazin" erſchien, wagte er ſich an einen Holzſchnitt, den er mit einem
Federmeſſer in Birnbaum ausführte. 1836 zog er nach Berlin und
arbeitete unter Unzelmanns Leitung. Die illuſtrirte Geſchichte Friedrich
des Großen war eigentlich das erſte Werk, durch welches er Gelegenheit
bekam, ſein Talent zu zeigen.

Bei dem Mangel an xylographiſchen Kräften in Leipzig und der
ſtarken Beſchäftigung der wenigen tüchtigen Berliner Kräfte, Unzelmann
und die Gebr. Vogel, mußte Zuflucht zu der berühmten Anſtalt von
Andrew, Beſt & Leloir in Paris genommen werden. Man denke ſich

jedoch den Schrecken des Verlegers, als die Probedrucke, trotz der
vorzüglichen Technik in der Ausführung, unter der jedoch die
künstlerische Eigenart Menzels vernichtet war, von Letzterem mit seinen
drastischen Bemerkungen zurückkamen, die ungefähr besagten: lieber
jeden andern Tod leiden, als sich von französischen oder englischen
Holzschneidern zerfleischen lassen. Die theueren Holzschnitte wurden
zum Theil dem Feuer geopfert und hiermit war zugleich ein Wende-
punkt für die Holzschneidekunst in Leipzig eingetreten. Kretzschmar
versuchte nun durch ein xylographisches Institut genügende tüchtige
Kräfte zu bilden, welche selbst die strengsten Anforderungen eines
Menzel, dieses Schreckbildes der Holzschneider, der diesen manchmal
Aufgaben stellte, worüber sie der Verzweifelung nahe gebracht wurden,
bald befriedigen sollten. Das Werk gelang und wird durch Jahr-
hunderte als ein Denkmal deutscher Xylographie und Druckkunst
bastehen.

Hier sei noch einiger Unternehmungen Webers aus dieser
Periode gedacht, welche mehr im Interesse des Standes, als in
der Aussicht damit Gewinn zu erzielen, unternommen wurden:
„Zeitung für Buchhandel und Bücherkunde“ (1838—39) mit ihrer
Fortsetzung „Allgemeine Preßzeitung“ (1840—43) und: „Biblio-
politisches Jahrbuch“ (1836—42). Sie sind nicht ohne Einfluß auf
die spätere Fachliteratur geblieben, namentlich hat die „Preßzeitung“,
unter der Leitung Ed. Jul. Hitzigs und Hartmann Schellwitz', auf die
Klärung der Ansichten über das literarische Eigenthumsrecht und die
betreffende Gesetzgebung einen wesentlichen Einfluß geübt.

Wie seinerzeit das „Penny Magazine“ bei Weber gezündet hatte,
so war es auch selbstverständlich, daß das Erscheinen der „Illustrated
London News“ und der Pariser „Illustration“ ihm keine Ruhe ließ,
bis im Juli 1843 die erste Nummer der Leipziger „Illustrirten
Zeitung“ folgte. Nach den oben geschilderten Verhältnissen der Xylographie und der Typographie waren die zu überwindenden Schwierigkeiten begreiflicherweise außerordentlich große. Anfänglich mußte
natürlich das Ausland zum wesentlichen Theil mit Clichés aushelfen,
doch dauerte diese Abhängigkeit nicht lange. Ed. Kretzschmar richtete
sein Atelier fast ganz auf die Bedürfnisse der Illustrirten Zeitung ein,
und als er 1858 starb, kam das xylographische Institut in die Hände
der Expedition der Illustrirten Zeitung. Dasselbe beschäftigt regelmäßig etwa 40 Holzschneider und liefert nicht nur für die Illustrirte
Zeitung die Holzschnitte, sondern auch für andere Verleger des In- und
Auslandes. Kretzschmar war, wennauch kein genialer Künstler, so

doch ein von dem ernstesten Streben nach Vollkommenheit in seiner Kunst beseelter Mann, deshalb auch nie mit dem Erreichten zufrieden, sondern bemüht, eine noch höhere Stufe einzunehmen. Seine Verdienste um die Xylographie können in Leipzig nicht hoch genug geschätzt werden. Er hat zahlreiche Schüler ausgebildet, von welchen viele der Kunst Ehre machten.

Im Jahre 1845 ging ein Theil des Weber'schen Verlags auf Carl B. Lorck über, mit dem die in den Jahren 1837—1845 entstandenen Unternehmungen gemeinschaftlich gemacht worden waren.

Neben der „Illustrirten Zeitung" lieferte Weber im Laufe der Jahre noch eine große Anzahl bedeutender illustrirter Werke, darunter Pöppigs „Naturgeschichte", 4 Bde. Fol.; Schomburgks Reisen in Britisch-Guiana; Tschudis „Thierleben der Alpenwelt" (1875 10. Aufl.); Schöppners „Hausschatz der Länder- und Völkerkunde". Eine für die Volksbildung bestimmte Sammlung, die, mit Energie betrieben, höchst wichtig werden kann, sind die Illustrirten Katechismen, jetzt 90 Bändchen. Der, der Illustrirten Zeitung entsprungene Illustrirte Kalender zählt bereits 35 Jahrgänge.

Von den Illustrirten Kriegschroniken aus den Jahren 1864, 1866, 1870—71 ist besonders letztere eine ganz vortreffliche Leistung deutscher Xylographie und Druckkunst und eine höchst werthvolle Quelle zur Kenntniß jener großen Zeit. Unter den verschiedenen Holzschnitt-Albums versprechen die eben jetzt begonnenen „Meisterwerke der Holzschneidekunst" eine besonders interessante Leistung zu werden, die erst ganz zeigt, welche reiche Schätze unter den 40,000 Illustrationen der 72 Bände der Illustrirten Zeitung sich befinden.

Auch die Verlagsthätigkeit Webers nach anderen Richtungen hin ist eine große, namentlich wandte er der dramatischen und dramaturgischen Literatur seine Aufmerksamkeit zu und verlegte unter anderen die zahlreichen Werke von Benedix, Laube, Eduard Devrient, Prutz, Mosenthal u. A.

Seit 1860 ist J. J. Weber auch Buchdrucker geworden, doch lag es nicht in seiner Absicht, selbst die großen Unternehmungen fertig zu stellen, diese werden hauptsächlich bei F. A. Brockhaus ausgeführt.

Im Geschäft wird Weber von seinen drei Söhnen Johannes, Hermann und Dr. Felix Weber treu unterstützt.

An dem Tage, wo diese Zeilen geschrieben wurden, beging Weber seinen 76jährigen Geburtstag, noch immer in voller Geistesfrische, der „Knecht Ruprecht" der Buchdrucker, dabei als „der alte Jean Jacques"

eine der populärsten Persönlichkeiten unter den Collegen. Wennauch
das, was Weber gethan, für einen Mann gerade genug gethan ist, so
steht zu hoffen, daß seine liebevoll pflegende Hand noch an manchem
schönen Werke ersichtlich sein wird.

Georg Wigand

ward in Göttingen als zwölftes Kind achtbarer aber durch den
Krieg verarmter Eltern am 13. Febr. 1808 geboren. Sein älterer
Bruder Otto ließ den vierzehnjährigen Knaben nach Kaschau kommen,
um ihn für sein Geschäft auszubilden. Mit unermüdlichem Fleiß
war Georg bemüht, die Lücken seines mangelhaften Schulunter-
richts auszufüllen, und bewies sich zugleich im Geschäft sehr praktisch,
sodaß er, als Otto nach Preßburg übersiedelte, das Geschäft bis
1828 allein führen konnte. 1828 übernahm er es für eigene
Rechnung. Wigand war ein Mann von ächt deutscher Gesinnung mit
einem warmen Herzen für deutsche Literatur und Kunst, es zog ihn
daher unwiderstehlich nach Deutschland zurück, und 1834 begann er
sein Geschäft in Leipzig.

Den Grund zu seinem Ruf legte namentlich das „Malerische und
romantische Deutschland", ein innerhalb eines engeren Freundekreises
durchgeführtes bedeutendes Actien-Unternehmen, begonnen zu einer
Zeit, wo man sich noch nach England wenden mußte, um die
Zeichnungen der deutschen Künstler durch englische Stahlstecher ausführen, zum Theil verballhornen zu lassen. Es erschien in 10 Sectionen
mit mehreren hundert Stahlstichen und wurde mit allgemeiner Anerkennung aufgenommen.

Gleich Weber wandte sich auch Wigand bald von dem Stahlstiche
ab und dem Holzschnitt zu und blieb, wie jener, dieser Liebe treu. Daß
die Xylographie noch tief in den Windeln steckte, als Wigand nach
Leipzig kam, ist schon oben berichtet. Seine Verbindung mit Ludwig
Richter, welche sich zu einem innigen Freundschaftsbund gestaltete, war
für die Richtung Wigands entscheidend. Wie Wigand bestimmend
auf Richters künstlerische Thätigkeit wirkte, so machte die Zeichenweise
Richters Wigand zu einem Gegner der englisch-französischen mit dem
Stahlstich in Wettkampf tretenden Manier und zu einem eifrigen
Anhänger und Förderer des einfacheren und strengeren Stils der
deutschen Meister aus dem 16. Jahrhundert. Wohl selten haben Verleger
und Künstler in der Ausführung einer Reihe von anziehenden
Erscheinungen so Hand in Hand und Eines Sinnes gewirkt, wie Wigand

und Richter, welch Letzterer selbst sagt: „Ich habe mich an Ihre warme Theilnahme so gewöhnt, daß ich mir ganz verwaist vorgekommen bin, wenn einmal eine kurze Pause eingetreten ist. Es ist mir doch immer, als gehöre ich Ihnen ganz besonders an, und als müßte ich eigentlich Alles für Sie machen".

Ein schöner Denkstein, den er im Verein mit seinem Bruder Otto dem Jubeljahr 1840 errichtete, war die illustrirte Ausgabe des Nibelungenliedes mit Zeichnungen von Bendemann und Hübner. Die Holzschnitte und Radirungen zu seinen Unternehmungen ließ Wigand hauptsächlich von Dresdner Künstlern: Gaber, Bürkner, Langer u. a. ausführen.

Georg Wigand besaß nicht den Sinn für das allmählige herkömmliche Ausnutzen des Errungenen, ihm war fortwährendes Neugestalten und Schaffen Bedürfniß. Wenige Verleger haben deshalb einen so großen Wandel in ihren Verlagsbeständen und in dem Charakter ihres ganzen Geschäfts aufzuweisen, wie Georg Wigand. Bereits 1843 überließ er einen Theil seines Geschäfts an J. Klemann in Berlin. Mit Gustav Mayer begründete er 1842 neben der seinigen die Firma Mayer und Wigand, die sich 1845 auflöste und in den alleinigen Besitz Gustav Mayers überging; 1844 kaufte er das Weygand'sche Commissionsgeschäft, das er 1856 H. Haessel überließ. 1850 gründete er das „Literarische Centralblatt" unter der Firma „Expedition des Meßkatalogs". Zwei Jahre vor seinem Tode errichtete er noch ein Antiquariat mit Albr. Kirchhoff zusammen.

Die Krone aller seiner Unternehmungen, an der er bis zu seinem Tode mit Liebe und Hingebung und unter vielerlei Mühe und Sorge arbeitete, war Schnorr von Carolsfelds „Bibel in (240) Bildern". Dieses unvergängliche Werk deutscher Kunst wurde 1852 begonnen. Wigand sollte wenigstens die Genugthuung erleben, daß er im In- und Auslande den verdienten, aber von fast allen seinen Freunden bezweifelten Erfolg sich errang. Nach längeren Leiden starb Wigand am 9. Februar 1858 in noch nicht vollendetem 50. Lebensjahre. So lange Schnorrs und Ludwig Richters Werke den Geist erheben oder erheitern, wird Wigands Name als Förderer ihres Ruhmes mit Dank genannt werden. Das Geschäft ist jetzt in den Händen des jüngeren Sohnes, Georg Martin Wigand. Bahnbrechend ist das von ihm verlegte „Musterbuch für häusliche Arbeiten" des Dr. A. von Zahn geworden.

Ernst Keil.

Wenn der Name Ernst Keil an die Namen Weber und Wigand unmittelbar angereiht wird, so geschieht es, weil Keils „Gartenlaube" als ein weit leuchtendes Beispiel dasteht, welche enormen, alle Vorausberechnungen über den Haufen werfenden Erfolge mittelst der, durch die beiden Genannten wieder in Deutschland heimisch gewordenen Verbindung von Wort und Bild erreicht werden können, wenn sie mit richtigem Verständniß für die geistigen Bedürfnisse des Volkes benutzt wird. Die „Gartenlaube" ist geradezu maaßgebend für die ganze Literatur der illustrirten Unterhaltungsblätter geworden, die meisten der Nachfolger haben es jedoch nur zu einer äußeren Aehnlichkeit gebracht, keines aber hat das Vorbild an Inhalt einigermaßen erreicht, ja kein anderes Land hat ein ähnliches Beispiel aufzuweisen, daß ein wohlfeiles Unterhaltungsblatt eine Macht geworden, deren Ausspruch oft wirksamer war, als der manches Gebieters, aber nur deshalb, weil diese Macht nie für private oder unwürdige Zwecke gemißbraucht wurde.

„Gartenlaube: Auflage 375,000; Papierverbrauch jährlich 4300 bis 4500 Ballen; beschäftigt bei der Herstellung 18 Schnellpressen, 4 Satinirmaschinen. In der Druckerei arbeiten 60—70 Leute, in der Buchbinderei 40—50, Geschäftspersonal 25." Wie trocken lautet diese Antwort auf die Anfrage in Bezug auf die für die Herstellung der Gartenlaube jetzt nothwendigen Kräfte und das erforderliche Material; wie schön aber der Gedanke, daß das Werk, welches fast doppelt so viele Schnellpressen in ununterbrochener Bewegung hält, als ganz Leipzig im Jubeljahre 1840 aufzuweisen hatte, nur das Resultat der Ausdauer, tüchtigen Gesinnung und Geschicklichkeit eines armen Buchhändlergehülfen ist.

Ernst Keil wurde am 6. Dec. 1816 in Langensalza geboren. In der Hoffmann'schen Buchhandlung in Weimar bildete er sich geschäftlich aus und empfing dort zugleich die erste Anregung zu eigener literarischer Thätigkeit. Als Gehülfe in Leipzig übernahm er 1841 die Leitung der Wochenschrift „Unser Planet", was ihm jedoch bald von der Behörde untersagt wurde. Im Jahre 1845 gründete er ohne Mittel, nur auf seine eigene Thätigkeit vertrauend, ein Geschäft mit der Herausgabe des „Leuchtthurm". Als Verlagsort mußte Keil auf Grund der Preßverhältnisse Zeitz wählen. Das Blatt fand jedoch keinen bleibenden Schutz gegen die Verfolgungen der Behörden. In den Bewegungsjahren 1848 und 1849 trat eine kurze Zeit der Ruhe für Keil ein und der „Leucht-

thurm" konnte in Leipzig erscheinen, bald aber begannen wieder die
Verfolgungen, welche schließlich das Erlöschen der Flamme des Leucht-
thurmes zur Folge hatte. Ein neues Unternehmen, der von Ferd. Stolle
redigirte „Illustrirte Dorfbarbier", gelangte schnell zur Blüthe und
hatte im zehnten Monat seines Erscheinens schon 22,000 Abnehmer, da
wurde Keil auf Grund seines politischen Verhaltens zu einer neunmonat-
lichen Haft auf der Hubertusburg verurtheilt. Hier entwarf er den
Plan zur „Gartenlaube", den er nach seiner Entlassung sofort ins
Werk setzte. Stolle und A. Diezmann liehen ihre Namen als Redacteure
her, da Keil den seinigen auf Grund der Anordnungen des Preßgesetzes
nicht geben konnte.

Das Unternehmen gedieh schnell und es sind die überraschenden Erfolge Jedem bekannt. 1853 mit 5000 Exemplaren debütirend, hatte das
Blatt im Jahre 1863 157,000 Abonnenten. Da traf die „Gartenlaube"
in Folge eines unüberlegten Artikels ein Verbot in Preußen, wodurch
die Abonnentenzahl auf 100,500 fiel, sie stieg jedoch 1864 wieder auf
125,000, 1866 auf 142,000. Die Besetzung Leipzigs durch die Preußen
im Jahre 1866 brachte dem Blatte eine zweite Katastrophe, die leicht
vernichtend hätte werden können. Das Erscheinen der Gartenlaube
wurde verboten; die Maaßregel, auf den Antrag Bismarcks zurück-
genommen, wendete sich nun zum Segen für das Unternehmen: nach
Verlauf von wenigen Wochen hatte die „Gartenlaube" 177,000
Abonnenten, und heute zählt sie 375,000.

Das Erscheinen der „Gartenlaube" ist ein epochemachendes Er-
eigniß im Buchhandel und ihr Einfluß auf die Bildung und den natio-
nalen Gedanken ein ganz außerordentlicher geworden. Sie schenkte
fast ausschließlich dem deutschen Leben und Streben Berücksichtigung.
Die Artikel von Bock, Temme, Carl Vogt, Roßmäßler, Brehm trugen
ihr Bestes dazu bei, die Verbreitung zu fördern, später H. Schmid,
Ruppius, Levin Schücking, Storm, E. Marlitt u. A. Die Seele des
Ganzen blieb aber von dem ersten Tage ab und bis zu seinem Tode
Keil selbst mit seiner nie erlahmenden Thätigkeit, Umsicht und Fürsorge.
Wie er für sein Blatt lebte, läßt sich nicht besser schildern, als er
es selbst thut in einem Brief an einen Freund, der Keil um Rath
gefragt hatte, ob wohl ein beiden bekannter Schriftsteller die Redaction
eines illustrirten Blattes übernehmen sollte. Nachdem Keil die
Erfolge seines Blattes geschildert, fährt er fort: „Das sind Erfolge,
auf die ich wohl stolz sein könnte, da sie redactionell und geschäftlich mein
alleiniges Werk sind. Fragt man mich aber, ob sie mich glücklich gemacht,
so habe ich nur eine trübe Antwort. Fünfzehn Jahre lang habe ich nur

ben einen Gedanken gehabt, der mich Tag und Nacht und überall mit dämonischer Gewalt beherrscht hat. Fünfzehn Jahre — die schönsten des Lebens — habe ich nur gearbeitet, nur gegrübelt, nur geschaffen, keinen Sonntag gehabt, mich von den meisten Freuden zurückgezogen und nur dem Unternehmen gelebt. Trotz der mir zu Gebote stehenden Reisemittel habe ich — mit Ausnahme einer Schweizer-Reise — von der Welt Nichts gesehen, und wenn man morgen meine müden Gebeine hinausträgt, werden die Leute sagen: „Er war ein Narr und hat sein Leben nicht genossen!“ Die Leitung eines solchen Unternehmens ist ein Fluch, der mit eisernen Klammern gefangen hält und schließlich das Leben knickt, das nur noch in einer gelungenen Nummer Werth hat“.

Die „Gartenlaube“ blieb eine Volkszeitung im wahren Sinne des Wortes und ward von dem Vornehmsten so gut wie von dem Geringsten, von dem Gelehrten eben so gern, wie von dem einfach Gebildeten gelesen. Sehr Vieles hat das Blatt beigetragen, die Deutschen im fernen Auslande in geistiger Verbindung mit dem Mutterlande zu halten.

Von Keils sonstigen Unternehmungen seien erwähnt: Ferd. Stolles, Ludw. Storchs, Heinr. Schmids und E. Marlitts Schriften, Bocks berühmtes „Buch vom kranken und gesunden Menschen“, welches zwölfmal aufgelegt, in über 200,000 Exemplaren verbreitet wurde, Roßmäßlers Bücher der Natur.

Gedruckt wird die „Gartenlaube“ in der Buchdruckerei von Alex. Wiede, die nur auf die Keil'schen Arbeiten eingerichtet ist.

Keil starb am 23. März 1878. Die Kunde von seinem Tode ging wie ein Lauffeuer von Mund zu Mund; es war, als hätte Jeder einen, ihm nahe stehenden Freund verloren, obwohl Keil vielleicht Wenigen persönlich bekannt war, da er, früher gezwungen, später grundsätzlich sich von allen öffentlichen Angelegenheiten fern hielt. Trotz seiner glänzenden Verhältnisse und seines prachtvollen Hauses lebte Keil, wie auch schon aus seinen eigenen Worten hervorgeht, einfacher, als mancher schwach salarirte Gehülfe. Wenn es aber galt zu helfen, da war er bereit, sobald er sich selbst überzeugt hatte, daß die Hülfe angebracht war.

Andere Verleger illustrirter Blätter und Werke.

Velhagen & Klasing. Unter den Familienblättern, die nach dem Vorbilde der „Gartenlaube“, theilweise mit der nicht zu verleugnenden Absicht, dieser eine directe Concurrenz zu machen, entstanden ist, was sowohl den Werth der Illustrationen als des Textes betrifft, das „Daheim“ das bedeutendste. Es wird von dem Leipziger Zweig der Firma Vel-

(Marginalie: Velhagen & Klasing)

5

hagen & Klasing in Bielefeld verlegt und ist äußerlich der „Gartenlaube" sehr ähnlich, in politischer Haltung jedoch ziemlich von derselben verschieden. An Abonnentenzahl reicht das „Daheim" nicht an die „Gartenlaube" heran, besitzt aber einen ziemlich festen Stamm von Lesern.

Unter den illustrirten Werken der Firma hat das neueste, die König'sche „Literaturgeschichte", in Fachkreisen viel Beachtung gefunden, abgesehen von dem Erfolge, der ihr im großen Publicum in dem reichsten Maaße zu Theil geworden ist. Fast sämmtliche graphische Künste, eingerechnet die jüngste, die Zinkographie und den mit derselben verbundenen Farbendruck auf der Buchdrucker-Schnellpresse, haben bei diesem Werke zusammengewirkt, um die ältesten deutschen Sprach- und Literaturdenkmale bildlich zur Anschauung zu bringen.

Bekannt sind ebenfalls die „Liebhaberdrucke", in deutschen Schriftgattungen älteren Schnittes, mit denen die Firma zuerst den Weg beschritten hat und zwar mit einer „Ausgabe für Bücherfreunde" in Octav und mit einer Ausgabe der „Cabinetstücke" in Sedez. Der Druck ist mit den Schwabacher Schriften Drugulins ausgeführt, an den Einbänden haben sich die besten Buchbinder Leipzigs, unter Anlehnung an alte gute Muster, versucht. Wenn die Bestrebungen, die ältere Fractur und Schwabacher wieder einzuführen, nicht mit denselben Erfolgen gekrönt wurden, wie die für Anwendung der Renaissance-Antiqua, so liegt dies einfach darin, daß man, was die ersteren betrifft, nicht, wie bei der letzteren, auf mustergültige Vorbilder zurückgreifen konnte.

Eine sehr verdienstvolle Thätigkeit entwickelt die Geographische Anstalt von Velhagen & Klasing. Dieselbe wurde am 1. Juli 1873 gegründet, und steht unter der wissenschaftlichen Direction des Theilhabers Dr. Richard Andree. Sie beschäftigt durchschnittlich vier kartographische Zeichner und fünfzehn Lithographen. Abgesehen von zahlreichen einzelnen Karten für den eigenen und für fremden Verlag, sind aus der Anstalt verschiedene, weil verbreitete Atlanten hervorgegangen: der große physikalisch-statistische Atlas des Deutschen Reiches von Andree und Peschel; der in sehr vielen Schulen eingeführte historische Schulatlas von F. W. Putzger; der bereits in 180,000 Exemplaren verbreitete Allgemeine Volksschulatlas von Dr. R. Andree, sowie AndreePutzgers Gymnasial- und Realschulatlas in 48 Karten. Die letzteren drei Atlanten zeichnen sich durch staunenswerthe Billigkeit aus, die nur durch die Zinkhochätzung und den farbigen Buchdruck möglich wurde.

Albert Henry Payne ist in London geboren und kam 1839 nach Leipzig, wo er während drei Jahre als Stahlstecher sich beschäftigte.

Dann begann er für eigene Rechnung das bekannte „Universum", das viele Jahre hindurch in ganz Deutschland sehr verbreitet war. Mit E. L. Brain begründete er 1839 die Firma „Englische Kunstanstalt", die er 1842, als Brain nach London übersiedelte, allein übernahm. Er veröffentlichte die bekannten Ausgaben der Galerien von Dresden, Berlin, München und Wien. Im Jahre 1854 begründete er „Das illustrirte Familien-Journal" zu 1 Sgr. wöchentlich, welches in unglaublich kurzer Zeit eine Auflage von 50,000 erzielte. Dieses Blatt ist dann später (im Jahre 1870) mit: „Das neue Blatt" verschmolzen worden und hat eine Auflage von über 100,000 Exemplaren. „Der illustrirte Familien-Kalender", welcher jetzt in seinem 24. Jahrgange erscheint, erreicht alljährlich eine Auflage von über 300,000 Exemplaren.

Im Jahre 1854 hatte das Geschäft sich soweit ausgedehnt, daß die Anlegung einer eigenen Druckerei erwünscht schien; diese arbeitet heute mit 19 Schnellpressen, 23 Kupferdruck-, 6 Steindruck- und 3 Prägpressen. Die Firma besitzt außerdem einen ziemlich ausgedehnten Verlag von Werken in englischer Sprache, welcher von ihrer Londoner Filiale vertrieben wird.

Die illustrirten Modezeitungen, reich mit Holzschnitten und Musterbeilagen ausgestattet, spielen bekanntlich eine bedeutende Rolle. Ihren eigentlichen Sitz haben sie nicht in Leipzig, sondern in Berlin, aber die Herstellung geschieht in Leipzig. Die deutsche Ausgabe des: „Bazar" wird in circa 80,000 Exemplaren bei B. G. Teubner gedruckt (vergl. S. 88); das „Modeblatt" in einer Auflage von 30,000 bei Jul. Klinkhardt. Otto Dürr druckt die deutschen Ausgaben der: „Illustrirte Frauenzeitung" in 34,000 und der: „Modenwelt" in 253,000 Exemplaren. Von dem letzteren Blatte erscheinen außerdem 4 französische, 2 englische Ausgaben, und je eine dänische, schwedische, holländische, italienische, spanische, portugiesische, polnische, russische, böhmische und ungarische Ausgabe.

Es beweist diese Thatsache recht handgreiflich die Bedeutung Leipzigs als Commissions- und Druckplatz. Denn die vorzüglichen Einrichtungen der Leipziger Buchdruckereien, im Verein mit der Ersparniß an Spesen und Arbeit, welche dadurch erwächst, daß die Blätter am Speditionsorte selbst gedruckt werden, gaben Veranlassung, daß diese wichtigen Druckarbeiten nach Leipzig gingen.

Das weit verbreitete „Ueber Land und Meer" von Eb. Hallberger in Stuttgart wird wie bekannt in vortrefflichster Weise dort

5*

gedruckt, aber für den Vertrieb desselben und des Hallberger'schen
Verlages überhaupt wurde ein besonderes Geschäft in Leipzig gegründet.
Auf den Umfang, welchen die Expedition des Hallberger'schen Ver-
lags hier hat, kann aus dem Umstande geschlossen werden, daß die
hiesige Firma von dem Stammhause jährlich circa 20,000 Centner
Waare empfängt.

———

Unter den Verlegern, welche sich besonders dem illustrirten Verlag
widmen, müssen noch folgende genannt werden.

Gebr. Brandstetter   Friedrich Brandstetter, geboren 1803, war anfänglich Kaufmann
und führte selbst, als er sich dem Buchhandel zugewendet hatte, sein
Leinwandgeschäft fort. Als Buchhändler etablirte er sich 1844 durch
Ankauf der Firma Scheld & Co. in Baltimore. Später erwarb er
noch den Verlag von Ferd. Sechtling. Er betrieb hauptsächlich den
pädagogischen Verlag, namentlich in der illustrirten Richtung. Mit der
nöthigen Ausdauer, um das einmal gewählte Ziel zu verfolgen, verband
Brandstetter einen scharfen Blick, das Richtige zu erkennen, und es gelang
ihm, seinen Verlag, der sich ebensowohl durch Gediegenheit als durch
eine sehr geschmackvolle Ausstattung auszeichnet, zu einem der beliebtesten
und geachtetsten zu gestalten. Es seien hier genannt: „Blätter und
Blüthen deutscher Poesie und Kunst"; H. Masius, „Naturstudien";
C. A. Roßmäßler, „Das Wasser"; W. Schütte, „Der Sternhimmel".
Brandstetter gehört durch die minutiöse Aufmerksamkeit, welche er der
Herstellung seiner illustrirten Unternehmungen widmete, zu denjenigen
Verlegern, die indirect viel zu den Fortschritten der Typographie in
Leipzig beitrugen. Er starb am 30. October 1877.

C. F. Amelang   C. F. Amelangs Verlag basirte auf das von Carl Friedrich
Amelang 1806 in Berlin gegründete Geschäft, das sich hauptsächlich
mit dem Verlage von Kinderschriften beschäftigte. Die Artikel Amelangs
hatten einen sehr guten Ruf, aber den Neuerungen abhold, hielt er nicht
Schritt mit den Anforderungen der Zeit an die Ausstattung, so daß
das Geschäft etwas von seinem Ansehen eingebüßt hatte, als es Friedr.
Volckmar in Gemeinschaft mit Anton Vogel (J. G. Mittler) 1850
erwarb. Vogel schied schon 1853 aus dem Geschäft. Mit dem, Volckmar
eigenthümlichen Sinn, das geschäftlich Richtige zu treffen, wurde eine
Anzahl sehr schön ausgestatteter Unternehmungen durchgeführt, darunter:
das „Album für Deutschlands Töchter", illustr. von Georgy, Thumann
u. A., in 9 Auflagen; „Lieder, Balladen und Romanzen", Pendant zu
dem Album; Coleridge, „Der alte Matrose", illustr. von Gustav Doré;
Adalbert Stifters Werke in vielen Ausgaben.

Die Firma Hirt & Sohn ist ein Sprößling der bekannten Universitätsbuchhandlung von Ferd. Hirt in Breslau. Sie wurde am 1. Januar 1873 begründet und übernahm einen Theil des Verlages der Stammfirma. Fast alle Artikel des Leipziger Geschäftes sind reich illustrirt; sie bestehen hauptsächlich in Reisewerken und Kinderschriften, inclusive der reichen Branche der Fröbeliana, dabei ist jedoch rein wissenschaftlicher Verlag nicht ausgeschlossen.

Die weltbekannte Firma Karl Bädeker kann auch der illustrirten Gruppe zugezählt werden. Wer kennt nicht die typisch gewordenen rothen Bände von Karl Bädeker in Koblenz, begonnen 1839 mit dem „Rheinlande", von welchen jetzt die 20. Auflage in der Presse ist. Nach dem Tode des Gründers (1859) übernahm der älteste Sohn, Ernst, das Geschäft. Dieser starb bereits 1861, worauf Karl und später Fritz Bädeker in den Besitz traten und 1872 nach Leipzig übersiedelten. Im Jahre 1878 trat Karl aus dem Geschäft aus. Wie wichtig diese Uebersiedelung für Leipzig als Druckort war, zeigt schon der Anblick dieser von Illustrationen, Plänen und Karten strotzenden Bände, von welchen Auflage auf Auflage folgt, deutsch, französisch, englisch in bunter Reihe. Die Ausstattung ist immer vortrefflich und macht sowohl den Druckereien als der kartographischen Anstalt von Wagner & Debes, die hauptsächlich in „Bädeker" arbeitet, alle Ehre.

Die Arnoldische Buchhandlung wurde 1825 als Zweiggeschäft der Arnoldischen Buchhandlung in Dresden von Christoph Arnold gegründet. Er hinterließ die Geschäfte seinen Adoptivsöhnen Robert Reimann-Arnold und Julius C. Arnold. Nach Reimanns Tode gingen sie in den Besitz Jul. Arnolds und Gustav Ad. Hofmanns über. Erstgenannter übernahm 1849 den Dresdner Zweig, letzterer den Leipziger. Jul. Hofmann starb 1874. Die jetzigen Besitzer sind Hugo Hofmann und Julius Behl.

In jüngerer Zeit hat sich die Arnoldische Buchhandlung namentlich dem mit chromolithographischem Schmuck illustrirten Verlage gewidmet, z. B. A. von Zahn, „Vorlagen für Ornamentmalerei"; C. Hutler, „Hausschatz"; die Albums und viele Blumenvorlagen von Marie von Reichenbach, H. Stüke, F. Hoppner, Marie Remy, T. Hegg, die alle vorzüglich gut ausgestattet sind.

Noch ist zu erwähnen die Firma Hermann Fries, die, sonst sich nur dem Commissionshandel widmend, zwei illustrirte Werke ersten Ranges von F. Kanitz: „Serbien", 2 Bände, und „Donau-Bulgarien und der Balkan", 3 Bände, die beſonders für den Augenblick ein ganz vorzügliches Intereſſe haben, verlegte.

    Eine in ihrer Productionsweiſe höchſt eigenartige, faſt eine Claſſe für ſich bildende Firma, die eine oft ans Fabelhafte geſteigerte Thätigkeit entwickelt, iſt

Otto Spamer.

Das Geſchäft wurde im Jahre 1847 eröffnet. Den Anfang ſeiner Erfolge machte Spamer mit Rothſchilds „Taſchenbuch für Kaufleute". Es folgte eine große Anzahl von illuſtrirten Jugend- und Volksſchriften. Spamer war unleugbar bemüht, nicht allein für den Fortſchritt in der Ausſtattung ſeiner Verlagsartikel zu wirken, ſondern auch den innern Werth zu ſteigern, indem er nach und nach tüchtige ſchriftſtelleriſche Kräfte zu gewinnen ſuchte. Dabei wirkte er ſelbſt anregend, ergänzend, öfters auch ganze Werke aus ſeiner gewandten Feder liefernd. Seine perſönliche Thätigkeit und Arbeitskraft ſind um ſo ſtaunenerregender, als ſie zum Theil unter ſchweren körperlichen Leiden entwickelt wurden. Selbſt wer ſich mit der Auffaſſung Spamers nicht einverſtanden erklären kann, muß einräumen, daß er mit Leib und Seele ſeinem Beruf ergeben iſt und mit großer Conſequenz und Energie ſein Ziel verfolgt.

Allein die, entweder in der erſten Publication oder in neuen Auflagen begriffenen umfangreichen Werke bilden eine bedeutende Summe an Arbeit und Capital. Sie ſind: „Illuſtrirtes Converſations-Lexikon" in 10 Bänden, mit nahezu 10,000 Illuſtrationen und zahlreichen Karten; D. Rothes, „Illuſtrirtes Baulexikon", 4 Bände, mit 3000 Illuſtrationen; Müller und Rothes, „Archäologiſches Wörterbuch", mit 1500 Illuſtrationen; „Illuſtrirtes Handelslexikon", 4 Bände, mit 800 Illuſtrationen; „Das Buch der Erfindungen", 6 Bände mit dem Ergänzungsbande „Der Weltverkehr", mit 3500 Illuſtrationen; Otto von Corvin, „Weltgeſchichte", in 8 Bänden mit 2000 Illuſtrationen; „Unſer deutſches Land" von v. Klöden und v. Köppen, 13 Bände, mit 1300 Illuſtrationen —, in Summa circa 50 Bände mit über 20,000 Illuſtrationen.

Daneben laufen nun verſchiedene Serien von Kinder-, Jugend- und populären Schriften, deren Einfügung in einander ſich nicht ganz leicht merken läßt, in Summa circa 500 Bände mit weit über 50,000 Illuſtrationen, von denen 191 zwei oder mehr Auflagen erlebten und die in mehr als 3 Millionen Bänden verbreitet wurden.

Verfolgen diese Werke auch nicht die höchsten Ziele der Wissenschaft und der Kunst, so ist ihr Einfluß auf die Bildung kein geringer gewesen. Durch ihre Billigkeit haben sie sehr dazu beigetragen, die Classe der Bücherkäufer zu vermehren. Daß Spamers Thätigkeit von Erfolg gewesen, beweist sein 1876 erbautes großartiges Geschäftshaus in der Gellert-Straße. Die zweckmäßig eingerichteten Gebäulichkeiten umfassen die Verlagshandlung mit einem Personal von 41 Personen; die verschiedenen Redactionen mit 13 Angestellten; die artistischen Anstalten mit 50 Personen; die Buchbinderei mit 50 Arbeitern. Die typographische Anstalt, die jedoch nur den kleinsten Theil des Verlages zu drucken vermag, besitzt 7 Schnellpressen und beschäftigt 51 Personen.

Wie die Reihe der zu dieser Gruppe vereinigten Verlagsfirmen mit ~~E. A. Seemann~~ zweien anfing, die in ihren Endzielen Bundesgenossen, in den Mitteln, diese zu erreichen, verschieden erscheinen, so schließt sie auch mit zwei Verlegern, deren Streben ein gemeinsames, während sie doch verschiedene Wege einschlagen, nämlich E. A. Seemann und Alphons Dürr.

Unter den Verlegern haben sich größere Verdienste um die Verallgemeinerung des Sinnes für die, den menschlichen Charakter und die Sitte veredelnde Kunst in ihrer Anwendung auf alle uns tagtäglich umgebenden oder von uns in die Hand genommenen Erzeugnisse der verschiedenen Gewerbe erworben als

E. A. Seemann.

Elert Arthur Ernst Seemann ward am 9. März 1829 in Herford in Westfalen geboren und kam, nachdem er eine tüchtige wissenschaftliche und geschäftliche Erziehung genossen und seine Wanderjahre gut benutzt hatte, als buchhändlerischer Leiter der dritten Auflage des Pierer'schen Conversationslexikon nach Altenburg und betheiligte sich auch literarisch bei der Herausgabe. 1858 etablirte er ein Sortimentsgeschäft in Essen bei gleichzeitiger Erwerbung eines Theiles des Renger'schen Verlages, unter welchem sich auch die erste Auflage von Lübke's „Geschichte der Architektur" befand. Dieses reich illustrirte, epochemachende Werk bildete den Grund, auf welchem Seemann sein 1861 nach Leipzig übergesiedeltes Verlagsgeschäft weiter baute. Das Erscheinen der zweiten Auflage regte bei Seemann den Gedanken an, eine reich illustrirte Geschichte der Malerei und eine ebensolche der Plastik zu veranlassen. Letztere erschien denn auch schon 1863 von Wilh. Lübke bearbeitet, von der ersteren konnte Alfr. Woltmann im Jahre 1878 den ersten Band zum Abschluß bringen.

Die feste und breite Basis für die, in ihrer consequenten Einseitig-
keit um so wirkungsreichere Verlagsthätigkeit erlangte Seemann durch
die Begründung der „Zeitschrift für bildende Kunst" im Jahre 1865.
Bis dahin waren alle Versuche, ein Centralorgan für die künstlerischen
Interessen der Zeit zu schaffen, gescheitert, und zwar theils an der
gelehrten Pedanterie, theils an einer gewissen Scheu vor der „Illustration" und der Popularisirung der Kunst. In Carl von Lützow fand
Seemann den rechten Mann, die Idee erfolgreich durchzuführen, und
die Zeitschrift steht blühend in ihrem 14. Jahrgange da. Aus der
Begründung dieses Journals entwickelten sich die lebhaften Beziehungen
des Geschäfts zu der jüngeren Generation der Kunstschriftsteller. Jul.
Meyer, der jetzige Director des Berliner Museums, übertrug an Seemann seine „Geschichte der modernen französischen Malerei". Der leider
zu früh verstorbene, geistvolle Alb. von Zahn veranlaßte die Herausgabe
der „Jahrbücher für Kunstwissenschaft" und die Erwerbung von Jac.
Burckhardts „Cicerone" und dessen „Cultur der Renaissance in Italien",
Werken, die, in Basel erschienen, bis dahin ohne die gebührende Beachtung geblieben waren. Zu den Zierden des Seemann'schen Verlages
gehören ferner Woltmanns „Hans Holbein" (1874 in 2. Aufl.);
Thausings „Dürer", eine bedeutende typographisch-artistische Erscheinung, und C. v. Lützows Prachtwerk über die Wiener Weltausstellung.

Von den künstlerischen Kräften, deren Aufblühen in ursächlichem
Zusammenhange mit der Entwickelung des Seemann'schen Geschäfts steht,
sind vor allen zu nennen William Unger und A. Ortwein. Seemann
erkannte sofort in den ersten Anfängen das eminente Talent Ungers,
dessen Ruhm als Radirer längst die Grenzen Deutschlands überschritten
hat. Nachdem 1868 „Die Meisterwerke der Braunschweiger Galerie" in
18 Blättern entstanden waren, folgte in den Jahren 1870—71 die
„Casseler Galerie" in 40 Blättern. In Gemeinschaft mit Ortwein
unternahm Seemann seit 1871 das umfangreiche Sammelwerk:
„Deutsche Renaissance", welches jetzt bereits in mehr als 1000 Tafeln
den Schatz der nationalen Bau- und Verzierungskunst aus dem 16. und
17. Jahrhundert ans Licht gezogen hat. Von anderen Denkmale-
Publicationen sind noch hervorzuheben: „Die Residenz zu München",
herausgegeben von C. F. Seidel, mit herrlichen Architekturstichen von
Ed. Obermayer und vorzüglichen Farbendrucken von Winckelmann &
Söhne, der von H. Hettner herausgegebene „Dresdner Zwinger" und
Dohmes „Berliner Schloß", beide mit umfangreichen Lichtdrucken.
Eins der jüngsten, zugleich eins der bedeutendsten Unternehmungen

Seemanns ist das unter R. Dohmes Leitung erscheinende, auf 6 Bände
in hoch 4. berechnete biographische Sammelwerk: „Kunst und Künstler
des Mittelalters und der Neuzeit", dessen vierter Band die berühmte
Doppelbiographie Rafaels und Michel Angelos von Anton Springer
enthält.

Was den äußeren Erfolg und die Einwirkung auf Haus, Schule
und Werkstätte betrifft, kann sich vielleicht kein Unternehmen Seemanns
mit den aus dem enormen Illustrations-Reichthum seines Verlages ent-
sprungenen: „Kunsthistorische Bilderbogen" messen. Es erschienen hiervon schon englische, französische und holländische Ausgaben.

Als ein nicht zu unterschätzendes Mittel für die Verbreitung des
deutschen Verlages nicht fachwissenschaftlichen Inhaltes muß noch der
von Seemann herausgegebene: „Illustrirter Weihnachtskatalog", der
bis jetzt 7mal erschien, erwähnt werden.

Wie groß der literarische Einfluß gewesen ist, welchen Seemann
auf die von ihm verlegten Werke mitunter ausgeübt hat, entzieht sich
der Beurtheilung; er wird bei Seemanns Kenntnissen und seiner Ge-
wandtheit mit der Feder umzugehen sicherlich kein unbedeutender gewesen
sein. Da Seemann noch in voller Schaffenskraft steht, so ist es zu
erwarten, daß seine verlegerische Thätigkeit noch manches schöne Werk
ans Tageslicht fördern wird.

Alphons Dürr,

Alph. Dürr
der neben dem mehr realistischen Seemann als Idealist bezeichnet werden
kann, geht, wie schon angedeutet wurde, einen etwas andern Weg als
dieser. Während Seemann hauptsächlich bestrebt ist, uns die großen
Künstler als Menschen persönlich näher zu bringen, ist Dürr bemüht,
sie selbst durch ihre eigenen Werke zu uns sprechen zu lassen. Beide
ergänzen sich somit, ohne daß darüber ein Einverständniß besteht. In
Folge des Gesagten spielt bei Dürrs Verlag der Stich eine bedeutende
Rolle; wo der Holzschnitt zur Verwendung kommt, tritt hauptsächlich
die einfache Manier, welche die Individualität des Künstlers zur
Geltung bringt, in den Vordergrund. Seemann dagegen braucht die
Raffinements der vollendeten Technik für die Darstellung der kunstgewerblichen Gegenstände mit ihren vielen Details, oder für die bedeu-
tend verkleinerten Reproductionen der Bilder zu seinen biographischen
Werken; wo der Stichel nicht genügt, tritt die Radirnadel ein.

Alph. Dürr (geb. 21. Januar 1828) übernahm 1853 die Twiet-
meyer'sche Buchhandlung für ausländische Literatur, die später wieder

in die Hände des Sohnes Twietmeyers gelangte. Es ist wohl anzunehmen, daß die vielen schönen Erzeugnisse der englischen und französischen Presse, die täglich durch die Hände Dürrs gingen, den Sinn
für die Kunst bei ihm geweckt haben, der später durch einen längeren
Aufenthalt in Italien genährt und gekräftigt wurde. Die Förderung
der Kunst wurde der Leitstern seiner Verleger-Thätigkeit und er befand
sich dabei in der glücklichen Lage, ohne zu ängstliche Rücksicht auf den
schnellen Erfolg seiner Neigung folgen zu können.

Seine Wirksamkeit begann mit dem Ankaufe einiger Werke ersten
Ranges, die aus verschiedenen Gründen nicht recht zur Geltung gekommen waren. Im Jahre 1867 übernahm er von der Artistischen
Anstalt der J. G. Cotta'schen Buchhandlung in München Genellis
„Umrisse zu Dantes göttlicher Komödie". Die prachtvollen Compositionen, in meisterhaften Stichen von Schütz, hatten bei ihrem ersten
Erscheinen das Publicum kalt gelassen, sowohl Dante als Genelli hatte
man noch nicht recht begreifen gelernt. Auch Thorwaldsens „Einzug
Alexanders in Babylon", dieser „Festgesang in Marmor", hatte keinen
Erfolg gehabt, obwohl ein Meister wie Overbeck sich nicht für zu gut
erachtet hatte, dieses Werk gleichsam aus dem Plastischen in das
Malerische zu übersetzen, und ein anderer Meister, S. Amsler, den
Stich übernommen hatte. Einem gleichen Schicksal unterlagen Carstens'
Werke, in Umrissen von W. Müller in Weimar gestochen; sie waren
in Müllers Selbstverlag erschienen und unbeachtet geblieben.

Die Erwerbung der obengenannten Werke, um sie durch die Veranstaltung neuer, wohlfeilerer und durch zweckmäßige Texte dem Verständniß der Leser näher gebrachter Ausgaben dem Publicum gerettet
zu haben, bleibt ein Verdienst Dürrs. Auch den Grund zu seinem
xylographisch illustrirten Verlag legte Dürr durch Ankauf, indem er
Führichs „Bethlehemitischer Weg" von Gaber in Dresden, O. Pletschs
Kinderbücher von der Weidmann'schen Buchhandlung in Berlin und
Scherers „Volkslieder" u. s. w. von G. Scherer in Stuttgart übernahm
und neu auflegte.

In einem Jahrzehnt entstand nun eine Reihe durch Stiche sowohl
als durch Xylographien illustrirter Werke, von welchen wir die hervorragendsten in chronologischer Folge erwähnen: Genelli, „Aus dem
Leben eines Künstlers", so zu sagen eine Selbstbiographie in Bildern
(Stich); Joseph von Führich, „Er ist auferstanden" (Holzschnitt); „Die
biblische Geschichte in Bildern" (Holzschnitt) und „Die Gleichnisse
des Herrn" (Photolithographie), beide Werke nach den Entwürfen
bekannter neuerer Meister; „Satura", eine Anzahl Genelli'scher

Compositionen, in Umrissen gestochen von Schüß, die ein ziemlich
vollständiges Bild von der Thätigkeit Genellis geben; Thomas
von Kempen, „Vier Bücher von der Nachfolge Christi“, mit Holzschnitten nach Führich. Im Jahre 1870 erschien ein Hauptwerk, die
„Odyssee“, mit den berühmten Compositionen Prellers, der für diese
Ausgabe sein vollständiges Odyssee-Werk mit besonderer Rücksicht auf
die Ausführung in Holzschnitt neu zeichnete. Als Kopfvignetten für
die 24 Gesänge lieferte er noch 24 figürliche Zeichnungen aus dem
Prebellen-Cyklus in Weimar. Die dritte Auflage dieses bedeutenden
Prachtwerkes erschien 1876. Nun folgten Moriß von Schwinds
„Märchen von den sieben Raben“ und „Aschenbrödel“, beide in Holzschnitten; seine Gemälde aus dem Landgrafensaale auf der Wartburg
waren schon früher erschienen. An diese Werke reihten sich an: Peter
von Cornelius' berühmte „Loggienbilder der Pinakothek zu München“,
von Merz nach den Originalzeichnungen in dem Münchener Kupferstich-
Cabinet gestochen; Führichs „Der Psalter“ (Holzschnitt); „Land-
schaften“, 12 Radirungen von Ludw. Richter; Prellers „Figuren-
Fries zur Odyssee“, in Farbendruck; „Das Buch Ruth“, das lette Werk
des vortrefflichen Führich, dessen gesammtes Schaffen in der tief
religiösen Ueberzeugung wurzelte und stets voll von Poesie aber frei
von aller und jeder modernen Effecthascherei war. Das schon 1877
erschienene Werkchen Führichs „Der arme Heinrich“ ist zwar eins der
weniger umfangreichen Verlagswerke Dürrs, aber als ein durchweg
harmonisches Druckwerk hervorzuheben. Es ist streng im Stil der
Blüthezeit der Xylographie und der Druckkunst gehalten, die Initiale
und der Einbanddeckel rühren von älteren Meistern her: Vespasiano
Amfiario und Vredeman Vries; der mustergiltige Druck in Typen
alten Stiles stammt aus der Drugulin'schen Officin. Eben so streng
durchgeführt ist die Jubelausgabe der „Gedichte Michel Angelos“ mit
einer reichen Auswahl von Zierstücken Virgil Solis', Peter Flötners
u. A. Die Reihe beschließt vorläufig, aber sicherlich nicht für lange
Zeit, Prellers „Italienisches Landschaftsbuch“, freie Bearbeitungen
aus dem Skizzenbuch des Künstlers.

Neben dem Streben, die Werke der großen Meister bekannt zu
machen, entwickelt Dürr eine besonders verdienstliche Wirksamkeit, indem
er auch die Kinderwelt an den Gaben der Kunst, soweit sie für diese
genießbar sind, in reichlichem Maaße theilnehmen läßt. Es ist gewiß
nicht leicht, für Kinder zu schreiben und zu zeichnen, und die Un-
mündigen sind oft scharfe Kritiker. Die weit verbreitete, ekelhaft süß-
liche Meine-liebe-Kinder-Literatur mit ihren Geschmack und Phantasie

verderbenden Bildern hat unendlichen Schaden gestiftet, und jedes
Streben, den Kindern gesunde geistige Kost zu reichen, verdient Anerkennung. Dürr geht von dem sehr richtigen Grundsatz aus, daß für
die Kinder das Beste nicht zu gut sei, und lieferte eine bedeutende Anzahl
von vortrefflichen illustrirten Kinderschriften. Die Zeitschrift „Deutsche
Jugend" ist etwas von dem Besten, was man Kindern in die Hände
geben kann. In diesen Unternehmungen glänzt besonders der Maler
der Kinderwelt, Oscar Pletsch. Dieser Meister in einem kleinen Genre
bringt jährlich neue Gaben, von denen die letzte stets als die schönste
gilt, bis eine neue das Herz von Jung und Alt erfreut.

Bei den Dürr'schen Unternehmungen wirkten die besten artistischen
Kräfte. Als Stecher: J. Burger, K. v. Gonzenbach, H. Merz, H. Schütz,
W. Müller, S. Amsler, H. Bürkner; als Holzschneider: Brend'amour,
K. Oertel, H. Günther, H. Käseberg, Aug. Gaber, Flegel u. a.

Officinen für
Illustrations-
druck Die Vorführung dieser langen Reihe von Firmen, welche sich
hauptsächlich mit illustrirtem Verlag beschäftigen, beweist zur Genüge,
welche Bedeutung dieser Zweig in Leipzig hat. Und doch fehlen noch
die Universal-Geschäfte, wie Brockhaus, Bibliographisches Institut,
Breitkopf & Härtel und die Verleger, welche hauptsächlich den wissenschaftlichen Verlag cultiviren, jedoch ebenfalls illustrirte Werke ersten
Ranges aufzuweisen haben. Bei der hier eingeführten Gruppirung
nach der hauptsächlichsten Thätigkeit konnten nicht alle an diesem
Platz erwähnt werden.

Ebenso geht es mit den Buchdruckereien. Die großen combinirten
Geschäfte widmen sich selbstverständlich auch dem illustrirten Druck und
verfügen zum Theil über eigene xylographische Anstalten; sie werden
weiter unten besprochen werden. Hier sind nur noch einige Druckfirmen
ins Auge zu fassen, die mehr eine Specialität aus dem illustrirten Druck
machen.

Officinen für Illustrationsdruck.

C. Ph. V.
Grumbach Wir beginnen die Reihe der Buchdrucker mit C. Ph. V. Grumbach,
weil diese Firma an die bereits erwähnte, von Ed. Kretzschmar für den
Illustrationsdruck ganz besonders eingerichtete Druckerei sich anlehnt.
Conrad Ph. Valentin Grumbach, geboren zu Frankfurt am Main
am 28. Februar 1811, war ein Mann und Buchdrucker vom ächten Schrot
und Korn. Im Jahre 1835 kam er als Factor zu Karl Tauchnitz in
Leipzig. Seine Wirksamkeit in dieser Stellung wurde jedoch durch seine

Verwickelung in lange Untersuchungen auf Grund seines politischen Verhaltens unterbrochen, später jedoch wieder begonnen. 1858 übernahm er die Kretzschmar'sche Buchdruckerei. Mit dem Stamm vortrefflich geschulter Drucker begann er seine Wirksamkeit. Die Dankbarkeit verlangt es, einen unter diesen, Joh. Chr. Benedict, besonders zu nennen, weil dieser schlichte Arbeiter einen ganz wesentlichen Einfluß auf Bildung der guten Schule für Illustrationsdruck in Leipzig gehabt hat, ein Mann, der dem seltenen Wahlspruch huldigte: „Es kann eine Arbeit nie gut genug sein". Zu den alten Kräften gesellten sich neue und Grumbach lieferte mit diesen manches vortreffliche Illustrationswerk. Er starb am 12. Februar 1871 und sein Geschäft ging auf W. Wiesing über, der, unterstützt von dem festen Stamm der Arbeiter, obwohl nicht gelernter Buchdrucker, es verstanden hat, den Ruf der Officin aufrecht zu erhalten.

Vieles Gute lieferte die Firma Alex. Edelmann (Besitzer Alex. Edelmann und Otto Fr. Dürr). Das Geschäft nahm einen raschen Aufschwung und arbeitete 1878 mit 13 Schnellpressen und circa 100 Arbeitern. Außer dem eigenen Verlag (z. B. das Leipziger Adreßbuch) und vielen Arbeiten als Universitäts-Buchdruckerei lieferte die Officin namentlich illustrirte Werke und Zeitschriften, so die „Modewelt" in 9 verschiedenen Ausgaben und die „Illustrirte Frauenzeitung", ferner die im eigenen Verlage erscheinende „Allgemeine Modezeitung". Im Jahre 1878 trennten sich die Besitzer; Dürr behielt die Druckerei und die Dürr'sche Buchhandlung; Edelmann begründete ein neues Geschäft.

Die Firma Hunderstund & Pries ist eine der jüngsten Leipzigs, ruht aber auf der Grundlage einer der ältesten hiesigen Officinen, der Saalbach'schen, welche bis 1870 in dem Besitze C. Ph. Meltzers war. Am 1. Januar 1871 übernahmen A. Hunderstund und A. Pries das Geschäft, und brachten es sehr schnell so weit, daß es jetzt 15 Schnellpressen mit etwa 90 Arbeitern umfaßt. Ihr hauptsächliches Augenmerk richten die Besitzer auf den Illustrationsdruck, in welchem sie bereits vieles Vortreffliche, namentlich eine große Anzahl der kunstgeschichtlichen Verlagsartikel E. A. Seemanns, geliefert haben.

Fischer & Wittig wurde 1862 von Th. Ferd. Fischer und Chr. Fr. Wittig gegründet. Durch die Herausgabe eines sehr guten Handbuchs: „Die Schnellpresse" lenkte die Firma die Aufmerksamkeit der „Maschinenfabrik Augsburg" auf sich, und sie wurde Hauptagent dieser bedeutenden Anstalt. Die Druckerei blühte rasch empor. Am

15. Juli 1876 starb C. F. Wittig, am 16. März 1877 folgte ihm
C. F. Fischer. Die Söhne J. A. O. Fischer und C. H. Wittig
übernahmen das Geschäft, trennten sich aber bald. Fischer behielt
die Druckerei, Wittig die Agentur. Das Geschäft verfügt über
7 Schnellpressen und ein Personal von etwa 85 Köpfen. Der
Illustrations- und Farbendruck sowie der Accidenzdruck werden besonders gepflegt und wird darin sehr Anerkennenswerthes geleistet. Fischer
druckt z. B. das „Daheim" und die „Meisterwerke der Holzschneidekunst" (Verlag von J. J. Weber), sowie die Grote'schen illustrirten
Ausgaben.

Alex. Waldow Alex. Waldow ist ein Geschäft eigenthümlicher Natur, eine Buchdruckerei für Buchdruckereien, die im Jahre 1860 begründet wurde.
1863 verband Waldow mit der Officin eine Verlagshandlung, speciell
für die typographische Fachliteratur. Der Verlag umfaßt über 40 solche,
zum Theil unter persönlicher Mitwirkung des Verlegers entstandene
Werke. Außerdem erscheint in Monatsheften das „Archiv für Buchdruckerkunst und verwandte Geschäftszweige", welches schon 16 Jahrgänge hinter sich hat und namentlich seiner vielen praktischen Satz- und
Druckproben und der vielen Schriftbeilagen wegen, welche von den
bedeutendsten Schriftgießereien geliefert werden, vielfach verbreitet ist.
Die Druckerei des Herrn Waldow ist nur dem eigenen Verlag gewidmet und hält sich deshalb innerhalb engerer Grenzen, als es bei der
Tüchtigkeit der Leistungen wahrscheinlich der Fall sein würde, wenn sie für
Andere arbeitete. Einen weiteren Geschäftszweig bildet die Maschinen-
und Utensilienhandlung für Buchdruckereien und verwandte Geschäfte.
Waldow führte 1872 die später so beliebten Tiegeldruck-Maschinen
von Degener & Weiler in New-York in Deutschland ein.

– – – –

Accidenz-
arbeiten Als in den dreißiger Jahren der Sinn für Verschönerung der
Bücher mächtige Fortschritte machte, war es natürlich, daß man auch
anfing, allen denjenigen Arbeiten, welche man, im Gegensatz zu dem
eigentlichen Buchdruck (Werkdruck), mit dem Namen Accidenzien
belegt, eine größere Sorgfalt zu widmen. Die Classe dieser Arbeiten
ist eine mächtig große; sie umfaßt von dem prachtvollen Jubeltableau
bis herab auf ein Memorandum oder einen Bestellzettel alle typographischen Arbeiten für das Oeffentliche, den kaufmännischen und gewerblichen Geschäftsbetrieb und das Gesellschaftsleben. Die Lithographie
hatte auf diesem Felde dem Buchdruck einen schwer zu bestehenden Kampf
bereitet. Diese Feindin konnte nicht ganz beseitigt werden, es galt

deshalb einen Verbündeten aus ihr zu machen und ihre Kräfte im Verein mit denen der Typographie zu benutzen. So entstanden graphische Anstalten, die wir nicht schlechthin als Buchdruckereien bezeichnen können. Während für die Fortschritte des eigentlichen Buchdruckes die Verleger fast mehr bestimmend waren, als die Buchdrucker, mußte, was den Accidenzdruck betrifft, der Buchdrucker selbst die Initiative ergreifen. Als bahnbrechend in dieser Richtung kann, allen anderen voran, die Firma

Giesecke & Devrient

genannt werden.

„Das macht eben diese Leute groß, daß sie rücksichtslos zu verwerfen verstehen", so sprach sich der verstorbene berühmte Gelehrte Professor Konstantin von Tischendorf gegen seinen nicht weniger berühmten Collegen, den Aegyptologen Georg Ebers, aus. Es war die Rede von den Besitzern der Firma Giesecke & Devrient, mit denen die genannten Beiden durch die Herausgabe monumentaler Druckwerke eng verknüpft waren, und treffender als mit den obigen wenigen Worten dürfte eine Charakteristik dieser Firma kaum geliefert werden können.

Neben dem ominösen „Schlecht und billig" steht das fast noch ominösere „Es ist gut genug für das Publicum; dieses will es gar nicht besser und versteht das Bessere nicht zu würdigen", denn es birgt diese Auffassung des Geschäfts eine noch größere Gefahr in sich. Das wirklich „Schlechte" fühlt das Publicum schließlich selbst heraus und verwirft es; aber für das, „was gut genug ist", fehlt so lange der Maaßstab, bis vorwärts strebende Producenten durch Darbietung des wirklich Guten den Geschmack des Publicums so ausgebildet haben, daß letzteres nunmehr selbst das verwirft, was man ihm von anderer Seite als gut genug zu octroyiren versucht. Der Grundsatz, sich beim Mittelgut zu beruhigen, ist der deutschen Typographie, so gut wie anderen Gewerben, eine gefährliche Klippe gewesen, denn er hat verhindert, daß derjenige Sinn recht Wurzel zu fassen vermochte, der nicht das „gut genug", sondern die Arbeit als solche im Auge behält, der Sinn, der z. B. es dem Setzer einer kurzlebigen Broschüre verbietet, die Regeln der Typographie und des guten Geschmackes zu vernachlässigen, „weil der Satz gut genug für eine ephemere Erscheinung ist", und der ihm dann, wenn es sich um die Herstellung eines Prachtwerkes handelt, abhanden gekommen ist und sich nur durch mühevolle Arbeit kümmerlich ersetzen läßt. Die Weckung dieses Sinnes, der es dem Arbeiter unmöglich macht, für das Arbeiten zweierlei Maaß anzulegen, und nur das eine kennt, das: gut zu arbeiten, ist es ja eben, was die lebhafte reformatorische Bewegung im Kunstgewerbe im Auge hat oder haben sollte.

Für das typographische Fach sind in dieser Richtung die Verdienste der Firma Giesecke & Devrient bedeutende zu nennen, denn sie war stets redlich bemüht, das relativ Gute durch das absolut Gute zu ersetzen und dem Geschmack des Publicums vorauszugehen und diesen zu bilden.

Am 1. Juni 1852 eröffneten Alphons Devrient und Hermann Giesecke ihr Etablissement unter der Firma Giesecke & Devrient. Alph. Devrient, der berühmten Künstlerfamilie Devrient angehörend, war am 21. Januar 1821 geboren. Er lernte bei Friedr. Nies, arbeitete später vier Jahre hindurch in der Imprimerie royale in Paris, in der sogenannten Chambre arabe unter der strengen jedoch wohlwollenden Leitung Ludwig Rosseaus und des gelehrten Orientalisten Jul. Mohl, und ging dann nach England. Hermann Giesecke, Sohn des gleichnamigen Besitzers der Schriftgießerei Schelter & Giesecke, lernte den Buchhandel und die Buchdruckerei bei B. Tauchnitz und ging dann behufs seiner weiteren Ausbildung auf Reisen.

Die, damals ganz ungewöhnliche geschmackvolle Ausführung jeder, selbst der kleinsten Arbeit erwarb der jungen Firma so schnell die allgemeine Gunst des Publicums, daß die Associés bald zur Ausführung ihres, sie bei der Gründung der Firma leitenden Gedankens: ein Institut zu schaffen, welches sämmtliche graphische Fächer in sich vereinigen sollte, schreiten konnten. Schon 1857 mußte ein eigenes Gebäude errichtet werden, welches durch Neubauten bedeutend erweitert worden ist. Nach und nach entstanden die Lithographie und die Steindruckerei mit Präganstalt; die Buchbinderei; die Kupfer-, Stahl- und Zinkdruckerei; die Gravir- und Guillochir-Anstalt, mit den galvanoplastischen und mechanischen Werkstätten, die namentlich für die Abtheilung für Geld- und Werthpapiere mit der Buchdruckerei einträchtig zusammenwirken müssen. Letztere wurde in den Jahren 1873—1876 völlig reorganisirt, das Material durchgängig erneuert und die Schriften auf Pariser Höhe gebracht. Das Etablissement arbeitet jetzt mit 21 Schnellpressen, 72 Handpressen, 5 Satinirwerken, 65 Numerirwerken und vielen Hülfsmaschinen und verfügt über ein Schriftenmaterial von 32,500 Kilo, sowie über 3800 Steine. Die ganze Anstalt beschäftigt gegenwärtig 260 Personen.

Es ist unmöglich, hier auf die einzelnen Producte der mannigfaltigen, in diesem typographischen Institute vereinigten Zweige näher einzugehen, so interessant es auch wäre, die Herstellung namentlich der unendlich vielen Werthzeichen zu verfolgen, mit deren Anfertigung die Firma nicht nur von verschiedenen Regierungen und Geldinstituten Deutschlands, sondern auch der Schweiz, Italiens, Hollands, Schwedens, Finnlands, Rumäniens und Amerikas betraut worden ist; es kann nur Einzelnes hervorgehoben werden.

Als ein höchst interessantes, wirklich monumentales Druckwerk ist die typographische Facsimile-Reproduction der ältesten und schönsten aller Bibelhandschriften zu nennen, die von Prof. Tischendorf in dem Verklärungskloster am Sinai aufgefunden wurde. Dieser Codex Bibliorum Sinaiticus war in den Besitz der Russischen Regierung gelangt und die Reproduction Giesecke & Devrient übertragen. Zuerst wurden photographische Facsimiles der einzelnen Buchstaben, welche dem Herausgeber den Charakter der Handschrift am besten auszudrücken schienen, veranstaltet und hiervon zwei Gattungen, eine für den Text und eine für die Noten und später noch eine dritte geschnitten. Da es sich jedoch ergab, daß die Abstände zwischen den einzelnen Buchstaben in dem Original manchmal in einem anderen Verhältniß zu einander standen, als in dem Satz, so mußten verschiedenartige Güße gemacht, oder durch Unterschneiden der einzelnen Buchstaben nachgeholfen werden. Der Raum zwischen den einzelnen Buchstaben wurde von Tischendorf nach Linien ausgerechnet und die Zahl derselben an jeder einzelnen Stelle im Manuscript verzeichnet. Ferner mußten, nachdem Tischendorf entdeckt hatte, daß vier verschiedene Kalligraphen bei dem Codex thätig gewesen waren, eine Menge Ergänzungstypen geschaffen werden, um die Eigenthümlichkeiten der verschiedenen Schreiber wiederzugeben. So erhielt z. B. der Buchstabe Omega 7 Varianten. Auch die getreue Wiedergabe der Schriften zwischen den Zeilen machte besondere Schwierigkeiten. Selbst die Abweichungen der alten Kalligraphen von der Regel wurden getreulich da nachgeahmt, wo sie vorkamen.

Unter den sonstigen typographischen Leistungen der Firma seien nur noch erwähnt: Tischendorfs Monumenta sacra palimpsesta und Grauls Bibliotheca tamulica, zu welchen beiden auch besondere Typen geschnitten wurden, ferner Ziegenbalgs Bibliotheca Thetica, Brugsch' „Geographische Inschriften altegyptischer Denkmäler", Gersdorfs Codex diplomaticus Saxoniae und aus letzter Zeit die Kreling'sche Ausgabe von Goethes „Faust."

Als eine vorzügliche Leistung der lithographischen Abtheilung ist ferner der, 1876 von Wilh. Engelmann verlegte Papyros Ebers zu bezeichnen. Die Aufgabe bei diesem Facsimile-Druck war die

6

getreue Nachahmung der Färbung der Schrift und der Pflanzentextur des Papyros. Das Ganze gelang so vollkommen, daß man ein auf Papier aufgezogenes Papyrosblatt vor sich zu haben glaubt. Der typographische Theil der Arbeit gehört der Firma Breitkopf & Härtel, welche allein in Leipzig die unter Leitung des Professors Lepsius in Berlin für die dortige Akademie der Wissenschaften hergestellten hieroglyphischen Typen in Umriß, circa 1500 verschiedene Stücke, besitzt.

In neuerer Zeit hat die Anstalt noch einen weiteren Geschäftszweig hinzugefügt, den sie mit nicht minderm Erfolg als die übrigen betreibt: die Kartographie, namentlich die Wiedergabe topographischer Arbeiten. Auch auf diesem Gebiete wirkten die einzelnen Branchen des Institutes: die Kupferstich-Abtheilung und Lithographie, die Kupfer- und Steindruckerei, das photographische Atelier und endlich die galvanische Anstalt in einer, die Güte der schwierigen Arbeiten verbürgenden Harmonie. Als Musterleistungen auf diesem Gebiete können die geologische Karte von Sachsen, herausgegeben von Herrn Credner, und die topographische Karte von Sachsen des Oberst Vollborn gelten. Die geologische Karte ist in 26—30 Farben lithographisch gedruckt; die topographische, in Kupferdruck ausgeführt, ist in einem so großen Maaßstabe angelegt, daß jede Karte nur ein Terrain von noch nicht 2 ½ ☐ Meilen umfaßt. Dem Beispiele Sachsens folgte Baden mit der in dreifachem Kupferdruck gedruckten topographischen Karte des Oberstlieutenant Schneider, die, wie eine große Flözkarte des westfälischen Steinkohlen-Gebirges, von Giesecke & Devrient ausgeführt werden.

Nicht lange sollte Alph. Devrient den Ehrentag des 25jährigen Jubiläums der Firma (18. Novbr. 1877) überleben. Er starb am Ostermorgen 1878 in Berlin, wohin er gegangen war, um sich einige Tage von der angestrengten Arbeit zu erholen. Herm. Giesecke übernahm die Firma zunächst allein, führt sie aber seit dem 1. Januar 1879 im Verein mit seinem Bruder Dr. Bruno Giesecke, welcher schon früher während eines Zeitraumes von zehn Jahren (1867—77) der Anstalt als Theilhaber angehörte, sowie mit seinem Sohne Raimund Giesecke fort.

———————

Sierre'sche Hof- buchdruckerei

Wenn unter den Leipziger Buchdruckereien eine Officin besprochen wird, obwohl sie weder in Leipzig noch „in den umliegenden Dörfern" domicilirt ist, so bedarf dies allerdings einer Motivirung. Nicht nur, daß die Besitzer dem Kreise der Leipziger Collegen angehören, sondern die ganze Thätigkeit der Officin wurzelt ganz specifisch in der Leipziger Angehörigkeit. Wenn sie gerade im Anschluß an die oben besprochene Firma genannt wird, so ist dies auch nicht absichtslos geschehen, denn sie gehört zu denjenigen Firmen, die einen bedeutenden Einfluß ausüben, daß das Publicum selbst an dem äußern Kleide solcher Drucksachen Wohlgefallen findet, um deren Aussehen es sich sonst wenig bekümmert hat. Gemeint ist die

Pierer'sche Hofbuchdruckerei

von Stephan Geibel & Comp. in Altenburg.

Am 25. October 1709 kaufte der Hofbuchdrucker Joh. Ludw. Richter die von seinem Bruder bis dahin von der Regierung pachtweise innegehabte Druckerei um den Kaufpreis von 720 Gulden. 1801 erwarb sie Geh. Hofrath Joh. Pierer; von 1832 ab setzte sie der Major H. A. Pierer fort bis zu seinem Tode, 1850, von wo ab die Officin in die Hände seiner Söhne Eugen und Alfred überging. Das in dem Verlage Pierers erscheinende Universallexikon besaß, neben dem Brockhaus'schen Conversationslexikon, großes Ansehen. Die Druckerei war den Leipziger Officinen keine ganz angenehme Nachbarin, denn sie war leistungsfähig und konnte damals unter andern Tarifverhältnissen wesentlich wohlfeiler arbeiten als die Leipziger Druckereien. Am 1. Jan. 1872 verkauften Pierer's das Geschäft an die jetzigen Besitzer: Fr. Volckmar, Duncker & Humblot, F. Fues' Verlag und Steph. Geibel, welch letzterer die alleinige Leitung des Etablissements hat. Das Lexikon ging in die Hände von Ad. Spaarmann in Oberhausen über. Das Druckereigeschäft wurde nun in einem stattlichen Neubau zweckmäßig eingerichtet. Es beschäftigt circa 200 Personen, besitzt 20 Schnellpressen, verfügt über Schriftgießerei, Galvanoplastik und Stereotypie. Es begreift sich bei der Ausdehnung der Officin, daß sie besonders auf Werkdruck im großen Maaßstabe berechnet ist. Jedoch liegt eine besondere Stärke der Firma in der geschmackvollen, modernsten Ausstattung aller ihrer Druckwerke, ganz besonders aller buchhändlerischen Accidenzien, Kataloge, Prospecte, Circuläre. Sie huldigt der Mode mehr als in Leipzig üblich ist und hat es in der jetzt so beliebten Ornamentik mittelst Linien und Punkte zu einer eminenten Virtuosität gebracht. In dieser Beziehung kann der zu jedem Weihnachten wiederkehrende Sortimentskatalog von Fr. Volckmar geradezu als ein typographisches Musterbuch betrachtet werden. Es ist zwar nicht anzunehmen, daß eine so prononcirte Mode ewig dauern wird, es würde ja überhaupt ein Widerspruch sein, von ewigen Moden zu reden, aber zu bezweifeln ist nicht, daß die Druckerei mit derselben Energie eine neue Richtung sich zu eigen machen würde,

6*

wenn es erforderlich wird. Geringſchätzen darf man übrigens die Richtung keineswegs, denn ſie gewöhnt den Setzer, mit einem ſpröden Material gewandt und leicht umzugehen und mit Wenigem ſehr gute Effecte zu erreichen.

Für den Accidenzdruck beſonders arbeiten noch folgende Firmen. C. G. Naumann will nur eine „Druckerei für Handel und Gewerbe" ſein und hat ſich die Aufgabe geſtellt, alle einſchlägigen Arbeiten gut und billig zu liefern, ohne nach den allerhöchſten Zielen zu ſtreben. Die Buchdruckerei wurde im Jahre 1802 durch C. G. Naumann gegründet, eine unter den Leipziger Collegen ſehr bekannte und beliebte Perſönlichkeit und langjähriger Vorſitzender der Innung. Nach dem Tode Naumanns im Jahre 1864 ging das Geſchäft erſt auf den älteſten Sohn E. Th. Naumann allein, ſeit 1869 auch auf den jüngeren Bruder G. C. Naumann über. Es werden 9 Buchdruck-Schnellpreſſen und 1 Steindruck-Schnellpreſſe, 3 Tretpreſſen und 7 Handpreſſen für Buch- und Steindruck beſchäftigt. Im Jahre 1878 förderte die Officin 9561 Druckaufträge in 30,785,505 Exemplaren, was eine Zunahme von nahezu 12 Millionen gegen das Jahr 1877 ergiebt. Wie ſehr die lateiniſche Schrift das Uebergewicht über die deutſche Schrift im Accidenzfache hat, geht daraus hervor, daß unter 9447 Aufträgen nur 161 in deutſcher Schrift ausgeführt wurden.

Friedrich Gröber iſt ebenfalls eine im Accidenzfache ſehr ſtreb-ſame Firma. Der Beſitzer gründete 1840 eine Steindruckerei und lithographiſche Anſtalt mit einer Handpreſſe. 1858 wurde eine Buch-druckerei errichtet, hauptſächlich als Stütze für die Steindruckerei. Sie gedieh jedoch ſo ſchnell, daß ſie das Uebergewicht behielt und allein 4 Schnellpreſſen beſchäftigt. Die Officin iſt zweckmäßig in einem neuen Geſchäftsgebäude untergebracht und liefert namentlich kauf-männiſche Accidenzarbeiten. Friedrich Gröber zur Seite ſtehen ſeine drei Söhne Carl, Fritz und Rudolph.

Die Buchdruckerei von Oscar Reiner mit 5 Schnellpreſſen liefert namentlich Plakate und ähnliche Accidenzarbeiten; H. C. Kramer farbige Stickmuſter von geſetzten Formen.

2) Die Universalgeschäfte und die großen Officinen.

Wie bekannt, ist Leipzig nicht gerade reich an architek- Die großen Officinen tonisch hervorragenden Gebäuden; es giebt jedoch eine nicht ganz kleine Anzahl von Häusern, die durch ihre Größe und Fensterzahl sich von den Wohnhäusern leicht unterscheiden und den Fremden zu der Frage veranlassen: „Was für ein Gebäude ist das?" Da hat der Befragte in der Regel nur zwischen zwei Antworten zu wählen: „Eine Schule" oder „Eine Buchdruckerei". Die großen Gebäude letzterer Classe umschließen die Universalgeschäfte, welche den Schwer- und Mittelpunkt für das bibliopolisch-typographische Geschäft bilden, und hauptsächlich die großen encyklopädischen und Sammelwerke ans Licht fördern, welche sich an keinem andern Orte in solcher Weise concentrirt finden. Die meisten dieser Anstalten beschränken sich jedoch nicht auf dieses ihnen unbestreitbar gehörende Terrain, sondern greifen als Verleger oder Drucker in die andern Gruppen über. Die weitverzweigte Thätigkeit solcher Firmen in allen Einzelheiten zu verfolgen, würde selbstverständlich viel zu weit führen, es kann sich nur darum handeln, das jede besonders Charakterisirende kurz hervorzuheben.

F. A. Brockhaus.

Auf den 4. Mai 1872 fiel der 100jährige Geburtstag Friedr. F. A. Brockhaus Arnold Brockhaus'. Mit Befriedigung konnten die Nachkommen sich zur Begehung ihres Festes rüsten, denn Fleiß, Umsicht und Betriebsamkeit hatten das Haus zu einem der größten in der Buchhändlerwelt heranwachsen lassen.

Mit dem 1. Januar 1850 war Friedr. Brockhaus aus dem Geschäft geschieden. Er war eifrig bemüht gewesen, der Buchdruckerei die Superiorität in dem, in den vierziger Jahren zur Blüthe gelangten Illustrationsdruck zu sichern, und scheute keine Opfer, um den Vergleich mit dem Auslande bestehen zu können. Er war zugleich ein Mann von der nobelsten Gesinnung und seines biederen Charakters wegen von Allen geschätzt, die in näheren Verkehr mit ihm traten; geehrt und geliebt von seinen Untergebenen; leicht in Hitze aufbrausend, aber eben so leicht in herzgewinnender Weise die Hand zur Versöhnung darbietend. Er starb in Dresden am 15. August 1865.

Nunmehr war Heinrich Brockhaus (anläßlich der Jubelfeier der Universität Jena zum Ehrendoctor ernannt) alleiniger Besitzer des umfangreichen Geschäftes, bis erst sein älterer Sohn Dr. Eduard Brockhaus (geb. 7. August 1829) im Jahre 1854 und dann der jüngere Sohn Rudolph (geb. 16. Juli 1838) 1863 Theilnehmer wurden. Die Zahl der im Jahre 1840 angestaunten 3 Schnellpressen ist jetzt auf 25 gewachsen. Die Buchdruckerei beschäftigt 260 Personen; das disponible Schriftmaterial beträgt 200,000 Kilo. Die Schnellpressen förderten in dem Jahre 1876 circa 39 Millionen Drucke. Die technischen Anstalten stehen unter der Direction des Herrn B. Siegfried, der zugleich einen wesentlichen Antheil an der consequenten und vortrefflichen Durchführung des: „Bilder-Atlas zum Conversationslexikon" hat, eines Werkes, wie es nur in einem Universalgeschäft wie das Brockhaus'sche, welches über alle Arten der technischen Herstellung gebietet, in solcher Weise durchzuführen möglich ist.

Mit der Buchdruckerei zusammen wirken noch die Schriftgießerei mit 12 Gießmaschinen; die Schriftschneiderei und Graviranstalt; die mechanische Werkstätte; die Stereotypgießerei und galvanoplastische Anstalt; die Buchbinderei; die artistischen Anstalten für Xylographie und Lithographie; die Stein-, Stahl- und Kupferdruckerei. Die geographische Abtheilung wird von Herrn Theodor von Bomsdorff geleitet.

Außerdem betreibt die Firma noch den Commissionshandel, das ausländische Sortimentsgeschäft und das Antiquariat. Es ist somit in Wirklichkeit ein Universalgeschäft geschaffen, wie es vom Beginn ab consequent angestrebt wurde. Filialen in Wien und Berlin erleichtern den Verkehr mit circa 2500 Firmen. Im Ganzen beschäftigt das Geschäft 582 Personen. Das Grundstück für die Geschäftsgebäulichkeiten und für die Wohnhäuser der Besitzer umfaßt ein Areal von 11,370 □ Metern.

Der musterhaft angeordnete Katalog über die von 1805 bis 1872 verlegten Werke mit einer ausführlichen historisch-bibliographischen

Einleitung umfaßt 1148 Seiten und verzeichnet 2552 Artikel in 5551 Bänden. Ein Exemplar des gesammten Verlags hatte schon im Jahre 1871 einen Ladenpreis von 40,404 Mark. Wie soll es da möglich sein, das viele Bedeutende daraus nur zu erwähnen?

Wer auch gar nichts von dem Getriebe des Buchhandels kennt, verbindet doch mit dem Begriff „Conversations-Lexikon" den Namen Brockhaus. Dieses Unternehmen bleibt noch immer der wichtigste Eckstein des großen Gebäudes, und der Einfluß, welchen dieses eine Werk auf die Bildung des Volkes geübt hat, ist in der That ein nicht leicht zu schätzender. 1868 wurde die 11. Auflage beendigt und die 12. nähert sich jetzt mit raschen Schritten ihrer Vollendung. Aus dem großen Lexikon entsprang das „Kleine Brockhaus'sche Conver-sations-Lexikon" und das periodische Unternehmen „Unsere Zeit". Daneben geht — läuft darf man nicht sagen — die Ersch und Gruber'sche „Encyklopädie", deren Ende ein heute Geborner schwerlich erleben wird.

Unter den neueren Unternehmungen befinden sich noch die bedeuten-den Serien: „Bibliothek ausländischer Autoren", bis jetzt 150 Bände; „Bibliothek der deutschen Nationalliteratur", 86 Bände; die „Inter-nationale wissenschaftliche Bibliothek", 36 Bände.

Unter den Erzeugnissen der verschiedenen graphischen Anstalten müssen genannt werden: das große Prachtwerk des Erzherzogs Ludwig Salvator: „Die Balearen"; die Pecht-Ramberg'schen „Galerien"; Langes „Geographischer Handatlas". Die „Kriegschronik" von 1870 bis 1871 im Weber'schen Verlage ist eine der besten Druckleistungen der Firma. Die Weber'sche „Illustrirte Zeitung" wurde von Beginn ab und bis auf den heutigen Tag bei Brockhaus gedruckt.

Am 14. November 1874 setzte der Tod der rastlosen Thätigkeit Heinrich Brockhaus' eine Grenze. Mit Leib und Seele war er seinem Berufe zugethan und er kannte nur den einen Ehrgeiz, in diesem einer der besten zu sein. Nach Gunst der Mächtigen und äußeren Aus-zeichnungen hat er nie gestrebt. Auf der Brust trug er keine Orden, aber in der Brust unverbrüchliche Ueberzeugungstreue. Der Titel, der ihn zierte, war der eines Ehrenbürgers von Leipzig und keiner paßte besser für ihn, denn er war und blieb ein ächter, schlichter Bürger, jedem äußeren Prunk abhold. Seine Befriedigung suchte er nur in der Arbeit und in der Beschäftigung mit Wissenschaft und Kunst. Seine Erholung, um die Kräfte für neue Arbeit zu sammeln, fand er in seinen öfteren, längeren Reisen.

B. G. Teubner.

B.G.Teubner   Nach wie vor dem Jubelfeste 1840 wirkte unermüdlich Benedict
Gotthelf Teubner fort. Bei seinem Tode am 21. Januar 1856
waren 7 Schnellpressen im Gang, außerdem hatte er in Dresden ein
Filialgeschäft gegründet, das jetzt 5 Schnellpressen beschäftigt. Das
Geschäft setzen seine Schwiegersöhne Ad. Roßbach (Theilhaber seit
1853) und Albin Ackermann (seit 1850) fort; ein dritter Schwiegersohn und Associé, Ed. Koch, war schon 1854 ausgeschieden. 1875
wurde der Sohn Ad. Roßbachs, Arthur, Associé. Im Jahre 1872
trat der, um den wissenschaftlichen Verlag der Firma sehr verdiente
und von der Universität Jena zum Doctor ernannte Aug. Schmitt
als Theilhaber der Verlagshandlung ein.

Die Druckerei hatte trotz der Größe des Hauses auf dem Augustus-
platze bald keinen Raum mehr in demselben. Die bedeutenden regelmäßigen Druckarbeiten, voran der „Bazar" mit seiner enormen Auflage,
die „Leipziger Zeitung" mit ihren vielen Beilagen, das ebenfalls täglich
erscheinende „Börsenblatt für den deutschen Buchhandel" und der eigene
stets wachsende Verlag machten mehr Raum, mehr Luft, mehr Licht nothwendig. Auf der Poststraße, der Post gegenüber, erheben sich, von einem
unbedeutenden Wohnhause verdeckt, in zwei hintereinander liegenden
Höfen zwei mächtige Gebäude für die Verlagshandlung und die Buchdruckerei. Hier findet man eine der am besten eingerichteten Küchen nebst
Vorrathskammer für die geistigen Conserven, die von Leipzig aus in alle
Welt versendet werden. Daß die Besitzer nicht daran gedacht haben, hinsichtlich des Umfangs ihr letztes Wort zu sprechen, darauf deuten sowohl
die hervorspringenden Steine der Seitenwände, die auf den Anschluß
zweier weiterer Flügel nach der Poststraße zu warten scheinen, als
auch der Erwerb anstoßender Grundstücke, wodurch ein Complex von
5000 □ Meter gebildet wurde. Es ist ja der Unterschied zwischen dem
geistigen und dem leiblichen Magen, daß, je mehr man dem ersteren
bietet, je mehr will er haben. Die Küchen für die geistige Speise haben
also auch gute Aussichten, immer größer zu werden.

Die innere Einrichtung des Geschäfts, welches im Ganzen circa
400 Personen beschäftigt, ist eine höchst zweckmäßige. Es werden
34 Schnellpressen, alle aus der Fabrik von König & Bauer in Kloster
Oberzell, beschäftigt. 3 Heim'sche Doppelsatinirmaschinen, 8 Glättpressen, darunter 4 hydraulische, und seit Kurzem eine Kastenbein'sche
Setzmaschine sind fortwährend im Gebrauch. Teubners haben den
Grundsatz, trotz der großen Auflagen, die bei ihnen gedruckt werden,

fast nur mit kleinen Maschinen zu arbeiten, und es läßt sich ja auch
nicht leugnen, daß bei Arbeiten, die eine besondere Sorgfalt verlangen,
das, was gegen die großen Maschinen auf der einen Seite an Zeit
verloren geht, auf der andern Seite gewonnen werden kann durch
die Uebersichtlichkeit, den schnelleren Gang der kleineren Maschinen
(mittlere Geschwindigkeit 1400 pro Stunde), durch die leichtere Mani-
pulation des Feuchtens, Satinirens, Glättens, Anlegens und durch
den daraus entstehenden geringeren Abgang.

Außer der Auflage des deutschen „Bazar" liefert die Officin auch
den Illustrationsdruck für mehrere der ausländischen Ausgaben dieses
Blattes, während die übrigen fremden Verleger von der Druckerei mit
Galvanos oder Clichés für den Druck ihrer Ausgaben versehen werden.
Es bleibt eine merkwürdige Erscheinung, daß selbst das Land der Mode
die Illustrationen zu seiner verbreitetsten Modezeitung aus Deutschland
holt und daß der Druck derselben in Paris sehr weit gegen den Druck
der deutschen Ausgabe zurücksteht.

Neben der Herstellung zahlreicher Zeitschriften und wissenschaft-
licher Werke betreibt die Buchdruckerei mit Vorliebe den Druck seiner
Illustrationswerke. Von hervorragenden Leistungen auf diesem Gebiete
aus der jüngsten Zeit seien besonders erwähnt: Coleridge, „Der alte
Matrose", mit G. Dorés Illustrationen; Kleist, „Der zerbrochene
Krug", von Ad. Menzel illustrirt; die polnische Ausgabe von Dorés
Bibel und die russische von Milton, „Das verlorene Paradies", eben-
falls mit den Doré'schen Bildern. Sparsames Umgehen mit der
Farbe bildete schon einen Vorzug des alten Benedictus Teubner. Man
macht nicht den gefährlichen Versuch, eine mangelhafte Zurichtung durch
Farbenmassen zu ersetzen, um einen Druck zu erzielen, den der Laie als
„wunderschön schwarz", der Drucker als verschmiert zu bezeichnen pflegt.

Die Gießerei, die nur für die Bedürfnisse des Hauses arbeitet,
beschäftigt 8 Gießmaschinen und viele Hülfsmaschinen. In der galvanoplastischen Anstalt arbeitet eine elektro-magnetische Maschine von
Siemens & Halske in Berlin.

Die eigenen Unternehmungen Teubners beschränken sich fast ausschließlich auf die Philologie und bestehen in mehr als 1800 Werken
von gegen 3000 Bänden. Obenan steht die *Bibliotheca scriptorum
Graecorum et Romanorum*, deren Bändezahl allein über 300 beträgt
und die, ihrerzeit so berühmten Karl Tauchnitz'schen Ausgaben ganz
verdrängt hat. Die zweimonatlich ausgegebenen „Mittheilungen",
welche über die neuen Unternehmungen berichten, bekunden genügend
die immer wachsende Verlagsthätigkeit der Firma.

Breitkopf & Härtel.

Der Aufschwung, den das Haus Breitkopf & Härtel unter der Leitung der beiden Brüder Hermann und Raymund Härtel genommen, wurde ein immer größerer. Nicht allein das Wachsthum des Musikalien- und Bücherverlages, sondern auch die, durch die Kundschaft nothwendig gewordene bedeutende Vermehrung der Buchdruckerei machten es unerläßlich, den, allerdings etwas altersgrau gewordenen, Goldenen Bären zu verlassen und im Jahre 1867 ein neues, immenses Geschäftshaus auf der Nürnbergerstraße zu beziehen. Doch auch hier wäre es zu eng geworden, wenn nicht die Firma die Instrumente-Fabrikation aufgegeben hätte. In der neuen Geschäfts-heimath konnte die Firma ihr 150jähriges ruhmvolles Bestehen am 27. Januar 1869 unter großer Theilnahme feiern.

Die technischen Anstalten beschäftigen über 400 Personen; die Buch- und Notendruckerei arbeiten mit 30 Schnell- und 36 Handpressen, zu denen für die Druck-Hülfsgewerbe die mannigfaltigsten durch Dampf betriebenen Maschinen zum Abpressen, Glätten, Schleifen, Hobeln, Sägen, Gießen, Vergolden, Verkupfern, Prägen u. s. w. hinzutreten. Ein Schriftmaterial von mehr als 150,000 Kilo in den morgen- und abendländischen Sprachen, Hieroglyphen und Keilschrift nicht ausgeschlossen, und in Noten ermöglicht die rasche gleichzeitige Bewältigung der complicirtesten und umfänglichsten Aufgaben, die der moderne Bücherverlag einer Buchdruckerei stellen kann.

Die Hauptaufmerksamkeit der typographischen Thätigkeit ist darauf gerichtet, den höheren Ansprüchen an den besseren Werk- und Illu-strationsdruck zu genügen, und die Buchdruckerei zählt eine Reihe der angesehensten Verleger zu ihrer Kundschaft. Die Arbeiten haben sich stets durch Solidität und einen einfachen, guten Geschmack ausgezeichnet. Die Officin läßt sich nicht von jeder wechselnden Mode hinreißen, ist aber geneigt, jede wirkliche Verbesserung sich anzueignen. Der ganze Charakter des Geschäfts fordert, nicht allein in technischer Beziehung, zu einem Vergleich mit dem Didot'schen in Paris heraus. Wie in diesem, so ist ein Grundzug in dem Breitkopf & Härtel'schen Hause die Humanität in allen Verhältnissen nach Außen und Innen. Eine Anstellung im Hause ist ziemlich gleich mit einer lebenslänglichen Versorgung und die Jubiläen jagen sich dort förmlich.

Dr. Hermann Härtel, gleich sehr auf Grund seines recht-schaffenen Charakters, wie seines tiefen Wissens, seiner gründlichen Kunst-kenntnisse und seines gemeinnützigen Strebens hochgeschätzt, starb am

4. Aug. 1875. Raymund Härtel steht noch in voller Geistesfrische
dem Geschäft vor, eben so belannt als einer der unermüdlichsten und
gewandtesten Arbeiter, der überall zu Hause ist und überall den Nagel
auf den Kopf trifft, sei es nun im eigenen Geschäft, sei es in den vielen
Ehrenämtern, die er bekleidet hat, wie als ein von den menschen-
freundlichsten Gesinnungen durchdrungener Mann. Ihm zur Seite
wirkt als Theilhaber ein Enkelpaar Gottfr. Härtels: Wilhelm
Volkmann und Dr. G. O. J. Hase.

Von dem aufgestellten Grundsatze: die Wirksamkeit einer Firma
in ihrer Gesammtheit zu überblicken, muß in diesem Falle abgegangen
werden. Denn die Bedeutung der Firma für den Musikhandel in
Leipzig ist eine solche, daß es nicht gut möglich ist, dem Musikhandel einen besonderen Abschnitt zu widmen und darin Breitkopf &
Härtel nicht zu nennen. Es sei deshalb hier nur erwähnt, daß der
Bücherverlag stets an Bedeutung gewinnt und daß die Firma selbst
die schöne und die illustrirte Literatur in den Kreis ihrer Unternehmungen gezogen hat, der sich sonst, abgesehen von theoretischen
Werken über Musik und biographischen Denkmalen großer Tonkünstler,
namentlich auf die strengere Fachwissenschaft bezieht. In dem theologischen
Verlag sind Männer wie K. Aug. und K. Alfr. Hase, Baumgarten-
Crusius, in dem juristischen: Puchta, Jhering, Wächter, in dem medicinischen: A. W. und R. Volkmann, Ligoroff; in dem philologischen
und philosophischen: G. Hermann, O. Jahn, Bursian, O. Donner,
G. Fechner, Weiße und noch viele andere wissenschaftliche Notabili-
täten vertreten.

Bernhard Tauchnitz.

Wenige Buchhändler-Namen dürften so weit in der Welt bekannt
sein wie der Name Bernh. Tauchnitz. Zu vielen Tausenden und aller
Orten sind Bücher verbreitet, welche diese Firma auf dem Titel tragen.
An den Namen Tauchnitz knüpft sich ein großer Fortschritt: Die Ent-
stehung eines internationalen Verlagsrechts. Denn ehe die Regierungen
Verträge darüber abschlossen, hatte der Buchhändler Tauchnitz das
Recht des Schriftstellers auf Schutz seiner Werke auch außerhalb seines
Vaterlandes thatsächlich anerkannt und seine Ausgabe englischer Autoren
auf den Grundsatz basirt, für den Wiederabdruck eines Werkes die Er-
laubniß des Verfassers einzuholen und für diese Entschädigung zu zahlen.

Christian Bernhard Tauchnitz war am 25. August 1816 zu
Schleinitz bei Naumburg geboren. Nachdem er sich im Geschäft seines
Oheims Karl Tauchnitz ausgebildet hatte, gründete er 1837 unter der

B. Tauchnitz

Firma Bernhard Tauchnitz eine Verlagshandlung, mit der eine umfangreiche Druckerei und Stereotypengießerei verbunden war. Die ersten Verlagsartikel der jungen Firma waren besonders juristische Werke. Dieser
juristische Verlag ist nie ganz aufgegeben worden, aber gegen das
riesige Unternehmen der kleinen „Tauchnitz Edition" zurückgetreten.
Das erste Bändchen der letztern brachte Bulwers „Pelham" und wurde
am 1. September 1841 ausgegeben. Der Zweck war, die englische
Literatur auf dem Continente in guten und billigen Ausgaben Allen
zugänglich zu machen, denen die englischen Preise zu hoch waren. Für
den Markt in England und den englischen Colonien behielten sich die
englischen Verleger und Autoren ihre Rechte vor, überließen aber für
alle übrigen Länder Tauchnitz die Ausbeutung. Es war nicht leicht, die
hervorragendsten englischen Dichter und Prosaiker, die womöglich alle
gewonnen werden sollten, für das Unternehmen zu interessiren. Schon
in der Verschiedenheit der Geldverhältnisse in England und Deutschland lag eine große zu überwindende Schwierigkeit, denn die Ausgabe
mußte billig sein, um allgemeine Verbreitung zu finden, während die
an die Autoren zu zahlenden Honorarbeträge oft sehr bedeutend waren;
so empfing z. B. Lord Macaulay circa 50,000 Mark, und seine Erben
beziehen noch fortwährend namhafte Beträge. Der Erfolg war aber
ein so glänzender, daß die englischen Autoren es sich bald zur Ehre
rechneten, in die Tauchnitz Edition aufgenommen zu werden, und auch
die Nordamerikaner haben sich gern gewinnen lassen. Uebrigens sind
nicht nur zeitgenössische Schriftsteller, sondern auch die ältere classische
Literatur Britanniens und Amerikas in der Sammlung vertreten. Im
Jahre 1860 erschien der fünfhundertste Band; den tausendsten bildet
die englische Uebersetzung des Neuen Testaments. Ostern 1879 wurde
der 1820ste Band ausgegeben.

Mit dieser Sammlung verband der Verleger eine zweite englischer
Jugendschriften. In einer „France classique" nahm er die besten
classischen Werke der Franzosen auf. Nach Grundsätzen genauer Text-
revidirung und sorgfältigster äußerer Ausstattung, verbunden mit
Correctheit, die ihn bei allen seinen Sammelwerken leiteten, begann er
in drei Ausgaben den Druck römischer und griechischer Classiker und
setzte ihn energisch fort. Da hier viel auf Würdigung der neuesten
Forschungen ankommt, so wurde die Leitung berühmten Philologen
übertragen. Alle die genannten Sammlungen haben einen bleibenden
Werth und sind stereotypirt. Die Verlagshandlung hat zu ihrer Herstellung weit über 500,000 Stereotypplatten gießen lassen müssen.
Diese ungeheure Zahl wird gewiß nicht so leicht von einem andern

Verlagsgeschäft übertroffen. Eine neue Collection: „German Authors"
bringt englische Uebersetzungen deutscher Werke, unter welchen wir
bereits die Namen von Goethe, Lessing, Zschokke, Berthold Auerbach,
Fritz Reuter, P. Heyse u. a. finden. Bedeutend ist auch die Zahl der
übrigen Tauchnitz'schen Verlagswerke. Der schon erwähnte juristische
Verlag enthält eine große Anzahl hervorragender Werke und eine Reihe
periodischer Zeitschriften. Die verschiedenen Bibelausgaben im Urtexte,
Tischendorfs, „Codex Ephraemi Syri Rescriptus", desselben „Monumenta sacra inedita, sive reliquiae antiquissimae textus Novi
Testamenti graeci" u. a. sind Werke, die besonders hervorgehoben zu
werden verdienen. Eine weitere Abtheilung des Tauchnitz'schen Verlags enthält eine Anzahl werthvoller Wörterbücher, unter denen sich
Jul. Fürsts großes „Hebräisches und chaldäisches Handwörterbuch"
in deutscher und englischer Bearbeitung befindet. Von andern Büchern
erwähnen wir: das Prachtwerk Behrs „Genealogie der Fürstenhäuser",
die „Acta Rectorum Universitatis Studii Lipsiensis" und das
Köhler'sche „Logarithmisch-trigonometrische Handbuch", in welch
letzterem die Entdeckung eines Fehlers mit 1 Louisdor prämiirt wurde.

Tauchnitz genoß viele Auszeichnungen. 1866 ward er in den erb-
lichen Freiherrnstand erhoben und er fungirt als k. Großbritannischer
General-Consul. Seit 1. Juli 1866 ist sein ältester Sohn, Dr. jur.
Christian Karl Bernhard Freiherr v. Tauchnitz, als Theilhaber in das Geschäft eingetreten.

Das Bibliographische Institut.

Wie mächtig Leipzig seine Attractionskraft übt, welche Wucht in *Bibliogr.*
der centralen Geschäfts-Organisation liegt, zeigt unter anderen der *Institut*
Umstand, daß die so ausgedehnte Anstalt: Das Bibliographische
Institut in Hildburghausen, weder die einmaligen enormen Kosten
und Mühen einer Uebersiedelung nach hier, noch die bleibenden ge-
steigerten Betriebskosten scheute, um seine Wirksamkeit nach dem Centrum
des Buchhandels zu verlegen. Leipzig wurde dadurch im Jahre 1874
um ein Universalgeschäft reicher, welches nicht nur durch seinen kolossalen
Umfang, sondern auch durch seine vortreffliche Organisation zu den
ersten zählt.

Im Jahre 1826 gründete Joseph Meyer, geboren in Gotha am
9. Mai 1796, in seiner Vaterstadt das Bibliographische Institut,
welches 1828 nach Hildburghausen zog. Das von Meyer herausgegebene „Universum" erreichte in den dreißiger Jahren eine Verbreitung

von 80,000 Exemplaren. Es folgten verschiedene Bibliotheken von deutschen Classikern, welche durch die damals noch unbekannte Billigkeit sehr viel beitrugen, die Nationalschriftsteller im Volke zu verbreiten, deren Rechtmäßigkeit jedoch nach damals geltenden literarischen Eigenthumsrechten vielfach angefochten wurde. Dann kam das große „Conversations-Lexikon" in 52 starken Bänden mit tausenden von Abbildungen. Das nähere Eingehen auf die rastlose Thätigkeit Meyers, welche erst mit seinem Tode am 27. Juni 1856 endete, gehört nicht in den Rahmen dieser Blätter.

Der Sohn Hermann Julius Meyer übernahm das Geschäft. Er gab 1857—1860 die erste handliche Ausgabe des Conversations-Lexikons in 15 Bänden heraus; eine zweite wurde 1867 vollendet. Die 1862 angefangene illustrirte Zeitschrift „Globus" ging 1866 in die Hände Fr. Vieweghs über; die „Ergänzungsblätter zum Conversations-Lexikon" erschienen bis 1871. Ein Werk von hohem Werthe war A. E. Brehms „Thierleben" in 6 Bänden mit prächtigen Illustrationen. Die „Bibliothek deutscher Classiker" gelangte 1868, die „Bibliothek ausländischer Classiker" 1872 zur Vollendung.

Das condensirte Conversations-Lexikon, „Meyers Handlexikon", wurde 1870—1872 veröffentlicht. Im Jahre 1874 wurde zur dritten Auflage des großen Conversations-Lexikons geschritten.

Die Unzulänglichkeit der Räume, die großen Anforderungen an die technischen Hülfsmittel, die vielen Verbindungen mit den artistischen und literarischen Kräften zu Leipzig, die Schwierigkeit der regelmäßigen Expedition — alle diese Umstände gaben 1874 Veranlassung, die länger geplante Uebersiedelung nach Leipzig ins Werk zu setzen. Ein mächtiges Hauptgebäude mit zwei hervorspringenden Flügeln und von einer Reihe von Hintergebäuden umgeben, umschließt die immer wachsende Anstalt, die gegen 300 Personen beschäftigt und 22 Buchdruckschnellpressen nebst 2 Rotationsmaschinen, deren Leistungsfähigkeit fast das achtfache der gewöhnlichen kleinen Schnellpressen beträgt, 8 Satinirmaschinen und 15 hydraulische Glättpressen besitzt. Die bewegende Kraft geben 2 Dampfmaschinen von 60 Pferdekraft. Alle diese Betriebsmittel werden nur für den eigenen Verlag in Anspruch genommen.

So imponirend auch das Aeußere dieses Etablissements wirkt, — es hat als nächste Nachbarin die nicht weniger großartige Röder'sche Notendruckerei —, so ist es doch namentlich die innere, bis auf die kleinsten Details durchgeführte planmäßige Ordnung und strenge kaufmännische Organisation, welche Bewunderung erregen muß. Das Meyer'sche Geschäft sucht und findet seine Kraft in der Concentration. Es hat sich

selbst ziemlich enge Grenzen gesteckt und läßt sich nicht verleiten, diese zu
überschreiten; aber innerhalb dieser Grenzen strebt es, die Vollkommenheit zu erreichen. So streng ökonomisch auch Alles gehandhabt wird,
so sind doch keine Kosten zu groß, wenn es gilt, technische Verbesserungen
einzuführen. Jedoch nur Das, was sich bewährt, wird beibehalten.
„Zahlen beweisen"; was nicht die Probe der Zahlen aushält, wird
verworfen.

Mit diesen Grundsätzen, welche die Leistungsfähigkeit bis auf die
Grenze des Erreichbaren steigert, gedeiht das Haus immer mehr und mehr.
Die neue Auflage des Conversations-Lexikon, über 1000 enggedruckte
Bogen in zweispaltigem Satz, mit über 400 Beilagen, von denen viele
in Farbendruck, wurde in mehr als 100,000 Exemplaren innerhalb
5 Jahre vollendet. Dazu 8 Bände der zweiten, vollständig umgearbeiteten,
mit einer großen Anzahl neuer Illustrationen geschmückten Auflage von
Brehms „Thierleben", welche auf 10 Bände berechnet ist, und eine
Reihe von Reisehandbüchern, die werthvolle, reich illustrirte Führer
durch Westeuropa und Italien bieten.

Leipzig hat allen Grund, sich über diesen jüngsten Zuwachs seiner
Universalgeschäfte, welche so Vieles dazu beitragen, die Bildung in alle
Welt zu verbreiten, zu freuen.

Jul. Klinkhardt.

Zu den älteren Etablissements, die in der letzten Zeit ganz außer- [J. Klinkhardt]
ordentlich an Umfang und Vielseitigkeit gewonnen haben, gehört das
von Julius Klinkhardt am 1. Mai 1834 gegründete. Durch werthvolle
Verbindungen mit einem Kreis von anerkannten Schulmännern erhielt
der Verlag, der durch den Ankauf verschiedener kleinerer Geschäfte vermehrt wurde, seine vorwiegend pädagogische Richtung. Ende 1861
wurde die, wegen ihrer guten Arbeit bekannte Buch- und Notendruckerei
von Umlauf & Lüder angekauft; 1871 die bekannte J. G. Bach'sche
lithographische Anstalt, sowie die Gust. Schelter'sche Schriftgießerei,
Stereotypie und galvanische Anstalt. Alle diese Zweige wurden in einem
neuen Geschäftshause, welches schon 1878 durch Neubauten wesentlich
vergrößert wurde, eingerichtet. Am 1. Juni wurde ein Filialgeschäft
in Wien etablirt. So ist nach und nach ein bedeutendes Etablissement
entstanden, das gegen 300 Personen beschäftigt.

Die lithographische Anstalt mit 2 Schnell- und 15 Handpressen
genießt schon lange eines sehr guten Rufes und beschäftigt sich namentlich mit Arbeiten für wissenschaftliche Zwecke, z. B. Overbeck, „Atlas zur

griechischen Kunstmythologie"; Thierfelder, „Atlas der pathologischen Histologie"; Pabst, „Pilze", sowie mit Beilagen für viele wissenschaftliche Zeitschriften. Jedoch auch die Chromographie, die nicht stark in Leipzig vertreten ist, wird mit vielem Erfolg gepflegt. Von dem Jahrbuch: „Deutsche Kunst in Bild und Lied" erschienen schon 21 Jahrgänge. Die in dem Arnoldischen Verlage herausgegebenen Blumenwerke von Hermine Stilke, Reuß, Höppner, Marie Reichenbach, sowie die Musterbücher von v. Zahn und die Perthes'schen „Bilder für den Anschauungsunterricht" stammen aus der Bach'schen Anstalt und bekunden ein ernstes Streben, Tüchtiges zu leisten.

Die Schriftgießerei entwickelt eine überraschende Thätigkeit. Sie beschäftigt jetzt 25 Maschinen und etwa 100 Arbeiter. Das höchst stattliche Musterbuch zeigt nicht allein eine große Anzahl von Brodschriften und Musiknoten, sondern auch eine reiche Auswahl von Titel- und Schreibschriften, Vignetten, Einfassungen, darunter schon manche Originalproduction. In der Galvanoplastik arbeitet eine dynamoelektrische Maschine.

Daß die Buchdruckerei, die über 10 Schnellpressen verfügt, sehr Beachtenswerthes liefert, beweist nicht nur der Druck der Schriftproben, sondern auch die Modezeitung „Victoria" und die Accidenzien der Firma. Eine Specialität ist der Notendruck, der vortrefflich geübt wird. Kurz, die Anstalt hat einen solchen Aufschwung genommen, daß sie unzweifelhaft einen bedeutenden Rang unter den Leipziger graphischen Instituten behaupten wird.

Ph. Reclam jun.

Ein Unternehmen, welches mit seinen Bändchen zu 20 Pfennigen eine Buchdruckerei von 22 Schnellpressen und gegen 90 Personen beschäftigt, ist die „Universalbibliothek". Die Firma Ph. Reclam jun. wurde 1837 begründet. 1839 erwarb Reclam die durch die außerordentlich sorgsame Ausführung aller ihrer Arbeiten bekannte Buchdruckerei von Wilh. Haak. Reclam widmete sich anfänglich dem politischen Verlag, was 1846 ein Verbot desselben in Oesterreich zur Folge hatte. Später pflegte er den lexikalischen Zweig. Im Jahre 1867 begann er nach Erlöschen der Privilegien für den Classiker-Verlag seine Universalbibliothek, von welcher bis jetzt 1190 Bändchen erschienen.

3) Der Buchhandel und die Typographie
im Dienste der Wissenschaft.

 s erübrigt noch einen Blick auf die Thätigkeit derjenigen Der wissenschaftliche Verlag Firmen zu werfen, die, äußerlich weniger imponirend und glanzvoll auftretend, sich die edle Aufgabe gestellt, treue Dienerinnen der Wissenschaft zu sein und dadurch so Vieles beigetragen haben, dem deutschen Buchhandel das hohe Ansehen zu erwerben und zu wahren, in welchem er bei allen Völkern steht.

Es liegt in der Natur solcher Geschäfte, daß die Thätigkeit der Vertreter sich den Augen des Publicums entzieht und sich in dem stillen Arbeitszimmer vollzieht; sie beruht hauptsächlich auf den intimeren Beziehungen zwischen Autor und Verleger. So interessant die Specialbeiträge zu der Geschichte des Buchhandels sind, welche uns einen tieferen Einblick in solche Verhältnisse gestatten, und so sehr sie auch beitragen, über die literarischen Zustände ganzer Perioden Licht zu verbreiten, so begreift es sich, daß in einer so allgemeinen Skizze, wie der vorliegenden, das Persönliche zurücktreten muß. Daraus schließen zu wollen, daß den Bestrebungen der Betreffenden geringere Bedeutung beigelegt werde, wäre ein völlig falscher Schluß.

Es liegt ferner in der Natur der Sache, daß solche Firmen selten über Nacht entstehen, schnell prosperiren und schnell verschwinden,

7

sondern daß, eben weil sie aus längeren und sorgsam gepflegten Verbindungen langsam erwachsen, ihr Ursprung in den meisten Fällen schon in den früheren Zeitabschnitten zu suchen ist. Dasselbe gilt für diejenigen Buchdruckereien, die in älnlicher Richtung wirken.

F. C. W. Vogel.

F.C.W.Vogel　　Wilhelm Friedrich Vogel kaufte 1847 die alte berühmte Dieterich'sche Buchhandlung in Göttingen und siedelte im Jahre 1849 ganz nach dort über. Am 1. October 1862, kurz vor dem in Göttingen erfolgten Tode Vogels, ging der Verlag in den Besitz von Dr. Carl Tampe-Vischer, Urgroßneffen von S. L. Crusius und Enkel F. C. W. Vogels, über. Derselbe widmet sich mit großer Energie dem Verlag wissenschaftlicher, hauptsächlich medicinischer Werke, von denen eine große Anzahl von hoher Bedeutung, zumeist in mehreren Auflagen, erschienen. Daneben werden nicht weniger als neun Fachzeitschriften herausgegeben. Unter den Werken seien erwähnt: von Ziemßen, „Handbuch der speciellen Pathologie und Therapie", 16 Bände; L. Hermann, „Handbuch der Physiologie", 6 Bände; von Werken aus anderen Fächern: Ebert, „Geschichte der Literatur des Mittelalters"; „Historische Volkslieder der Deutschen", herausgegeben von v. Liliencron; H. Schmidt, „Kunstformen der griechischen Poesie"; Roberstein, „Geschichte der deutschen National-Literatur", 5 Bände; „Kitāb al-fihrist", herausgegeben von Flügel; Justi, „Handbuch der Zendsprache".

J. C. Hinrichs'sche Buchhandlung.

**J. C.
Hinrichs'sche
Buch-
handlung**　　Im Jahre 1840 wurde C. F. A. Roft alleiniger Besitzer der J. C. Hinrichs'schen Buchhandlung und nahm 1850 seinen Sohn, L. A. H. Roft, als Theilnehmer auf. Der Vater starb am 3. Sept. 1856. Die 1797 begonnenen bekannten halbjährlichen Kataloge setzt die Firma noch heute fort, hat aber noch andere bibliographische Hülfsmittel daran geknüpft: seit 1842 die „Allgemeine Bibliographie"; seit 1846 den „Vierteljahrskatalog"; seit 1866 die monatlich erscheinende wissenschaftliche Uebersicht; seit 1856 den sehr wichtigen „Fünfjahres-katalog", dessen 5. Band 1876 erschien, u. A.

Bereits im vorigen Jahrhundert unternahm Hinrichs viele Reisewerke mit Karten und eine große Karte von Deutschland in 30 Blättern. Diese Verlagsbranche wurde bis auf die neueste Zeit eifrigst verfolgt und lieferte viele bedeutende Werke, z. B. Steins „Handbuch der Geographie" (7. Aufl. in 11 Bänden 1872). 1855 erschienen die epochemachenden „Höhenschichten-Wandkarten" auf Wachstuch von Dir. C. Vogel und Prof. O. Delitsch.

Aber auch die strengeren Wissenschaften, namentlich Jurisprudenz und Theologie, wurden nicht vernachlässigt. Die große „Real-Encyklopädie für protestantische Theologie und Kirche" erscheint in 2. Aufl. in 15 Bänden.

Eine Specialität ist in neuerer Zeit die Aegyptologie, vertreten durch Brugsch-Bey, Dümichen, Eisenlohr, Mariette-Bey u. A. Seit 1863 erscheint die „Zeitschrift für Egyptische Sprache und Alterthumskunde", von Brugsch begründet und von Lepsius fortgesetzt. Als besonders wichtige Werke sind zu erwähnen das „Hieroglyphisch-demotische Wörterbuch" von H. Brugsch; „Dictionnaire géographique de l'ancienne Egypte" von Brugsch; Brugsch, „Hieroglyphische Grammatik"; „Karnak" mit vielen Tafeln in Folio von Mariette-Bey. Für die meisten dieser Werke wurde die Autographie verwendet, was die Herstellung wesentlich erleichtert. Das erwähnte „Dictionnaire géographique", das wissenschaftliche Resultat zwanzigjähriger kostspieliger Studien und Reisen, umfaßt gegen 1000 autographirte Seiten in Folio, deren Kosten, wenn mit Typen gedruckt, enorm gewesen wären. Allerdings wird die unerläßlich nöthige, zierliche Handschrift und Sicherheit im Zeichnen der Figuren nicht jedem Autor eigen sein.

Salomon Hirzel.

S. Hirzel

Eine der altberühmten Firmen ging 1853 für Leipzig verloren. In diesem Jahre trennten sich nämlich die Besitzer der Weidmann'schen Buchhandlung. Carl Reimer behielt die Firma und den größten Theil des Verlages und siedelte nach Berlin über, während der andere Theil im Besitze S. Hirzels blieb, der eine der Zierden des Leipziger Buchhandels werden sollte. Salomon Hirzel war am 13. Februar 1804 in Zürich geboren. Er genoß eine vorzügliche Erziehung in seiner Vaterstadt und ging in seinem 20. Jahre in die Lehre zu Reimer in Berlin, dessen Haus ein Versammlungsort der Elite der Berliner Gesellschaft war. Hier hatte Hirzel schon als Jüngling Gelegenheit, mit den geistigen Größen der Zeit in Verbindung zu treten, und bildete sich außerdem durch ernste Studien aus. Sein Verlag gewann sehr schnell eine große Bedeutung; obenan steht das, schon während der Verbindung mit Reimer begonnene monumentale Sprachwerk der Brüder Grimm, dem eine Reihe wissenschaftlicher Werke von hoher Bedeutung folgte. Boecking, Bernays,

7*

Curtius, Jahn, Mommsen, Wattenbach, Haupt, Trendelenburg, Strauß, Zarncke und viele andere Namen sind die Zierden seines Verlagskatalogs. Bekannt ist Hirzel auch als Freund und Verleger Gustav Freytags. Bei ihm erschien ferner die Wochenschrift: „Im Deutschen Reich". Er ist der deutschen Wissenschaft ein mächtiger Förderer gewesen; die Universität Leipzig erkannte dieses, indem sie ihn zu ihrem Ehrendoctor ernannte. Aber Hirzel blieb derselben nichts schuldig und vermachte der Universitätsbibliothek seine einzig dastehende Goethe-Sammlung. Durch sein ganzes Leben hat er den Spruch des von ihm so hoch geehrten Altmeisters zur Wahrheit gemacht: „Edel sei der Mensch, hülfreich und gut".

Sein Sohn Georg Heinrich Salomon Hirzel setzt das Geschäft fort.

Wilhelm Engelmann

Wilh. Engelmann

wurde am 1. August 1808 in Lemgo geboren. Im Jahre 1810 hatte der Vater Wilhelms ein Geschäft gegründet. Durch dessen Tod ward der Sohn genöthigt, sich schnell für den buchhändlerischen Beruf aus-zubilden, was ihm in einer für seine Zukunft günstigsten Weise im Hause des Herrn Th. Chr. Fr. Enslin in Berlin vergönnt ward. Hier begann er schon Geschmack an den bibliographischen Arbeiten zu finden, in welchen er so Hervorragendes geleistet hat. In Bremen, in dem Heyse'schen Geschäft, erwarb er sich noch Kenntnisse in der prak-tischen Ausübung der Typographie, die ihm bei der Sorgfalt, die er seinen Verlagswerken widmete, sehr zu statten kam. Seine Wanderzeit war mit dem 24. Jahre geschlossen und es trat nun der Ernst der eigenen Geschäftsführung an ihn heran.

Sein Verlag gewann bald einen größeren Umfang. Gervinus, den er in Frankfurt a. M. kennen gelernt hatte, brachte dem jungen Verleger seine mit großem Erfolge aufgenommenen Werke und durch ihn vermittelte sich später die Verbindung mit Prof. Weber in Heidel-berg, dessen großes Werk „die allgemeine Weltgeschichte", jetzt der Vollendung nahl. Durch seine Bekanntschaft mit dem Physiologen Lehmann, mit Siebold und A. Kölliker gewann sein medicinisch-natur-wissenschaftlicher Verlag eine hohe Bedeutung. Auch den übrigen Naturwissenschaften, namentlich der Geologie und Botanik, sowie in den letzten Jahren der Astronomie, wandte sich Engelmann mit Glück zu. Sein 1877 ausgegebener Verlagskatalog weist nicht weniger als 118 streng wissenschaftliche Werke naturwissenschaftlichen Inhalts auf.

In früheren Jahren gab Engelmann eine Reihe von griechischen und lateinischen Schriftstellern in handlichen Bänden (Text und Uebersetzung mit erklärenden Anmerkungen) heraus. An diese schließt sich der sprachwissenschaftliche Verlag an, dessen werthvollste und kostbarste Publication der schon oben (S. 81) besprochene „Papyros Ebers" ist.

Als praktische Früchte seiner bibliographischen Thätigkeit erschien die große Reihe der „Bibliotheken", die er über verschiedene Gebiete der Wissenschaft veröffentlichte, unter denen besonders die „Bibliotheca zoologica" und die „Bibliotheca scriptorum classicorum etc." als Muster sachwissenschaftlicher Kataloge gelten.

Endlich muß noch der umfangreichen und geschätzten Verlagswerke gedacht werden, die er auf den Gebieten der Archäologie, der Kunstwissenschaft und der Technologie der Welt übergeben hat. Overbecks großer „Atlas der griechischen Kunstmythologie", dessen „Pompeji", die neue Ausgabe von Naglers „Allgemeines KünstlerLexikon". Heusingers „Handbuch für specielle Eisenbahntechnik", sowie das noch nicht abgeschlossene „Handbuch der Ingenieur-Wissenschaften" sind — jedoch nur als einzelne Beispiele — noch zu nennen.

Daneben gelang es Engelmann ein blühendes Commissionsgeschäft zu gründen, das im Jahre 1874 auf Hermann Fries überging. — Zunächst sein freundschaftliches Verhältniß zu Rudolf Weigel gab ihm Geschmack für das Sammeln von Stichen. Seine Specialität war die ChodowieckiSammlung, die fast vollständig zu nennen ist und die er in einer sehr geschätzten Monographie beschrieben hat.

Der älteste Sohn Engelmanns, Rudolph, hatte sich mit großer Liebe und mit Erfolg der Astronomie gewidmet. Nach dem Tode des jüngeren, für den buchhändlerischen Beruf bestimmten Sohnes, Paul, entschloß sich jedoch Rudolph nach schwerem Kampfe, seinem ihm so lieben Berufe zu entsagen und sich dem Buchhandel zu widmen, was er dann mit regem Eifer that. Wilhelm Engelmann, den die Universität Jena zum Ehrendoctor ernannt hatte, starb, hoch geehrt von seinen Collegen und Mitbürgern, am 23. December 1878.

R. Weigel. — T. O. Weigel.

Rudolph Weigel, ein besonderer Freund und Gesinnungsgenosse Hirzels und Engelmanns und ältester Sohn J. A. G. Weigels, hatte bereits 1831 die „Anstalt für Kunst und Literatur" begründet, jedoch 1842 die Firma Rud. Weigel angenommen. Weigel war ein Mann mit großem Kunstsinn begabt, der tiefe Kenntnisse in

Kunstfach besaß. Sein, in 35 Abtheilungen herausgegebener Lagerkatalog, 8 Bde. 1837—1866, sowie seine Auctionen genossen eines
Weltrufes. Sein Verlag bezog sich ausschließlich auf die Kunst und
enthält manchen werthvollen Artikel, z. B. Ab. Bartsch, „Le peintre-
graveur", 21 Bände mit Suppl. von J. D. Passavant (6 Bde.) und
R. Weigel (1 Bd.); „Archiv für die zeichnenden Künste", 1855—1870;
„Handzeichnungen berühmter Meister" (36 Blätter), „Holzschnitte
berühmter Meister" (64 Bl.); R. Weigel, „Die Werke der Maler in
ihren Handzeichnungen". Dieser Verlag ist jetzt im Besitz von Joh.
Ambr. Barth.

T. O. Weigel Theodor Oswald Weigel, der jüngere, 1812 geborene Bruder
Rudolphs, übernahm 1838 das väterliche Geschäft und baute das-
selbe, nach dem am 25. December 1846 erfolgten Tode des Vaters
J. A. G. Weigel, in verschiedenen Richtungen, jedoch der bisherigen
Tendenz treu bleibend, aus.

Als Verleger rief er eine Reihe werthvoller Prachtwerke hervor,
wie: Förster, „Denkmale deutscher Baukunst, Bildnerei und Malerei",
ein Werk mit mehr als 600 gestochenen Tafeln, zu dessen Herstellung
ein Capital von über 150,000 Mark erforderlich wurde. Ferner
Gailhabaud, „Die Baukunst des V. bis XVI. Jahrhunderts", in
6 Bänden mit 300 Tafeln; Unger, „Die Urwelt"; Ungewitter,
„Gothische Constructionen" und „Sammlung mittelalterlicher Ornamentik"; Reber, „Ruinen Roms". Daran reihen sich Werke wie
Kayser, „Bücherlexikon", in 20 Theilen; Wietersheim, „Völker-
wanderung"; Macaulay, „Geschichte von England"; Ulrici, „Philoso-
phische Schriften", und viele andere. Die Anläufe der Schumann'schen
und der Kühn'schen Buchhandlungen in Leipzig sowie der Palm'schen
Handlung in Erlangen, schließlich der großen naturwissenschaftlichen
Werke von Martius vermehrten das Verlagsgeschäft wesentlich.

Das Auctionsgeschäft brachte alljährlich große und berühmte
Bibliotheken unter den Hammer. Das Antiquargeschäft pflegte mit
besonderer Vorliebe das Fach der Seltenheiten, der guten Ausgaben
der Kirchenväter und der griechischen und römischen Classiker. Die Bändezahl des Lagers kann auf 150—160,000 Bände und 400—500,000
Dissertationen geschätzt werden.

Von frühester Jugend ab war T. O. Weigel ein Sammler.
Eine in der Schulperiode begonnene Siegelsammlung adeliger
Familien bildete die eigentliche Grundlage zu den: „Deutsche Grafen-
häuser der Gegenwart", 3 Bände mit 724 Wappen in Holzschnitt,

und zu den: „Wappen der deutschen freiherrlichen und adeligen Familien", 4 Bände. Die reiche Autographensammlung über die Reformationszeit und den 30jährigen Krieg ist theilweise in dem „Autographen=Prachtalbum" mit 47 Tafeln Facsimiles beschrieben. Die wichtigste Weigel'sche Sammlung wurde durch den Wunsch hervorgerufen, Deutschland die, ihm vielfach bestrittene Ehre der Erfindung der Druckkunst mit unwiderleglichen Beweisen zu vindiciren. Die Ergebnisse der eingehenden Untersuchungen der xylographischen und typographischen Erstlingsdrucke, der Metall= und Holzschnitte, sowie der Kupferstiche sind niedergelegt in dem Werke: „Die Anfänge der Druckerkunst in Bild und Schrift, erläutert von T. O. Weigel und Dr. A. Zestermann. Mit 145 Facsimiles und vielen in den Text gedruckten Holzschnitten", 2 Bände in Folio.

Das Antiquariatsgeschäft in Leipzig.

Es dürfte vielleicht an diesem Orte angebracht sein, einige Worte über das Antiquargeschäft, als dessen erster Begründer J. A. G. Weigel zu betrachten ist, zu sagen. Lange Zeit war der Genannte, und später der Sohn, T. O. Weigel, fast der einzige Vertreter des wirklichen Antiquariats, jenes von jeher in hohem Ansehen stehenden Zweiges des Buchhandels. Jetzt zählt man sieben größere Geschäfte in Leipzig, welche ausschließlich oder doch zum größten Theile ihre Kräfte dieser Branche widmen: F. A. Brockhaus' Sortiment und Antiqua= rium, Otto Harrasowitz, Hermann Hartung, Kirchhoff & Wigand, K. F. Köhler's Antiquarium, List & Francke, Simmel & Co., T. O. Weigel. Außerdem giebt es eine größere Anzahl von Firmen, welche mehr oder weniger antiquarische Geschäfte betreiben, diese aber nicht als die Basis ihrer Thätigkeit betrachten.

Jede der angeführten sieben Handlungen unterhält ein großes Lager, welches sich über alle Zweige der Literatur verbreitet, und jede derselben veröffentlicht alljährlich eine Anzahl wissenschaftlich geordneter Kataloge. Welch reges Leben in diesem Geschäft herrscht, beweist die Thatsache, daß die Firma Kirchhoff & Wigand (1850 gegründet) bis jetzt 552, K. F. Köhler (gegr. 1848) 310 und List & Francke (gegr. 1862) 130, mehr oder weniger umfangreiche und werthvolle Kataloge ausgegeben haben. Ein großer Theil der in Deutschland sowohl als im Auslande befindlichen Bibliotheken nimmt, wenn eine Verwerthung derselben erfolgen soll, den Weg nach Leipzig und geht entweder durch Kauf in den Besitz eines hiesigen Antiquars über, oder wird durch ein Auctionsinstitut für Rechnung des Besitzers versteigert. Solcher Institute giebt es jetzt zwei: List & Francke und T. O. Weigel. Einige Zeit vor einer Auction werden sorgfältig bearbeitete Kataloge nach allen Himmelsgegenden verbreitet, in Folge dessen zahlreiche Aufträge eingehen, die von den Veranstaltern der Auction sowie von mehreren Auctions-Commissionären gegen eine mäßige Provision gewissenhaft für die auswärtigen Kunden ausgeführt werden.

Die
Auctionen Als zwei der merkwürdigsten Auctionen der neuern Zeit erwähnen wir die, im Jahre 1869 von List & Francke abgehaltene, über die in Mexico durch den unglücklichen Kaiser Maximilian gesammelte kostbare Bibliothek, und die, 1872 von T. O. Weigel abgehaltene Versteigerung seiner eigenen typographischen Sammlungen, in welcher für 633 Nummern die enorme Summe von 250,000 Mark erzielt wurde. Die erste xylographische Ausgabe der „Ars moriendi", 13 Seiten Text und 11 Seiten Bilder, wurde dem British Museum für 21,450 Mark zugeschlagen, während ein Metallschnitt „Christus am Kreuze" (aus den Jahren 1100—1150) 4375 Mark erzielte.

Otto Wigand.

O. Wigand Den Namen der oben erwähnten Männer von tiefem Wissen und wissenschaftlichem Streben mag derjenige eines Mannes angereiht stehen, der sich als einen rüstigen Vorkämpfer für die politische Entwickelung Deutschlands allezeit bewiesen und in der Zeit des Kampfes als Verleger den nationalen Gedanken vielfach unterstützt hat.

Otto Wigand war am 10. August 1795 in Göttingen geboren. Seine ersten Verdienste erwarb er sich um die Verbreitung der deutschen Literatur in Ungarn. Als Reisender seines in Preßburg etablirten Bruders fuhr er mit einem Planwagen voll von Büchern über die fast unendlichen Pußten Ungarns und besuchte Edelhöfe, Bischofssitze und Pfarren. Mit seinem vornehmen, gefälligen und gebildeten Wesen war er ein überall gern gesehener Gast. 1816 etablirte er sich in Kaschau, siedelte aber später nach Pest über und unternahm ein, in Anbetracht der dortigen Verhältnisse, riesiges Werk, sein ungarisches Conversations-lexikon. 1832 zog Wigand nach Leipzig, wo er mit offenen Armen aufgenommen wurde, denn die neue politische Zeit hatte eben im Buchhandel ein reges Leben hervorgerufen und erforderte junge und frische Kräfte. Rasch erhob sich die Firma, die sich jedoch keineswegs der politischen Literatur allein zuwendete, sondern eine große Anzahl populäre, encyklopädische und wissenschaftliche Werke schuf, unter welchen die für die medicinischen Fächer epochemachenden, 1834

begonnenen Schmidt'schen „Jahrbücher der Medicin" ganz besonders
zu erwähnen sind.

Von großer Bedeutung waren ferner die seit 1838 von Arnold
Ruge und Th. Echtermayer in Halle herausgegebenen „Deutsche Jahrbücher für Wissenschaft und Kunst", die nach fünfjährigem Bestehen
verboten wurden. Ein ähnliches Schicksal traf den sämmtlichen Verlag
Otto Wigands in Oesterreich. Als das namhafteste Werk seines späteren
Verlages muß das Sanders'sche Wörterbuch der deutschen Sprache
erwähnt werden. Das große und schöne Werk — es umfaßt 360 Bogen
in 4º — wurde in 6½ Jahren durchgeführt.

Eine Buchdruckerei hatte Wigand im Jahre 1845 in seinem neu
erbauten Hofe „Gutenberg" eingerichtet. Buchdrucker aus innerem
Triebe war er jedoch nicht; für ihn war die Buchdruckerei nur
Mittel zum Zweck. Er übergab sie 1854 an seine Söhne Otto und
Walter, unter deren Leitung sich die Officin eines guten Rufes
für die tüchtige und geschmackvolle Ausführung ihrer Arbeiten erwarb.
Der älteste Sohn, Hugo, wirkte als Buchhändler mit dem Vater
zusammen bis er 1864 das Geschäft allein übernahm. Otto Wigand
starb, als Nestor der Leipziger Verleger, am 1. September 1870.
Zur Zeit der Weltausstellung zu Wien fiel dort der Sohn Hugo am
26. Juni 1873 der Cholera zum Opfer. Der jüngste Sohn Otto schied
aus der Buchdruckerei und Walter setzt jetzt sowohl die Buchdruckerei
als die Buchhandlung fort.

Duncker & Humblot.

Ein gewichtiger Zuwachs an wissenschaftlichem Verlag entstand
für Leipzig durch Uebersiedelung der Firma Duncker & Humblot.

Karl Fr. W. Duncker, ein sowohl durch seinen Verlag, als
durch seine in dem Gesammtinteresse des Buchhandels vielfach erprobte
ersprießliche Thätigkeit bekannter und allgemein geachteter College,
wurde am 25. März 1781 geboren. Im Jahre 1800 trat er in die
Lehre bei Georg Voß in Leipzig; 1806 übernahm er nach dem Tode
des Berliner Buchhändlers H. Frölich die Leitung von dessen Geschäft
und trat 1808 in Verbindung mit seinem Freunde Peter Humblot
(† 1828) den Besitz derselben an. Schwere Zeiten waren zu überstehn;
es gelang aber der Tüchtigkeit der Associés, alle Schwierigkeiten zu
überwinden. Die historische Literatur bildete den Kernpunkt des
Verlages; der, von Frölich übernommenen Weltgeschichte von Becker
wurde besondere Sorgfalt zugewendet. Werke der angesehensten Autoren

als Heinr. Leo, Preuß, Varnhagen, A. Schmidt, Beßke, Wachsmuth, Riemer, Zelter, vor Allen aber von Leop. Ranke folgten nach, dazu die gesammelten Werke Hegels. Auch die schöne Literatur war vertreten, namentlich durch Willibald Alexis und Ludwig Rellstab.

Am 1. Januar 1866 übergab Duncker seinen Verlag an Carl Geibel jun. in Leipzig, und starb am 15. Juni 1869.

Der jetzige Besitzer führt den Verlag mit großer Energie in der bisherigen Weise fort, so daß letzterer jetzt in den Fächern der Geschichte und der Politik, der Rechts- und Staatswissenschaften und der politischen Oekonomie einen sehr hohen Rang einnimmt. Von vielen der älteren berühmten Werke wurden neue Auflagen gedruckt; viele Werke ersten Ranges erschienen neu. Ein Hauptunternehmen sind die „Gesammelte Werke" Leop. Rankes in 44 Bänden, von denen die 6 ersten sofort neu aufgelegt werden mußten. Neu erschienen von Ranke die „Denkwürdigkeiten des Fürsten von Hardenberg", 6 Bände, „Die deutschen Mächte und der Fürstenbund", die „Geschichte Wallensteins". Max Dunckers „Geschichte des Alterthums" konnte noch nicht zu Ende geführt werden, von den vier ersten Bänden erschienen inzwischen 4 resp. 5 Auflagen. Die 4. Auflage der Becker'schen „Weltgeschichte" in 24 Bänden, wurde durch Ed. Arnd und C. Bulle bis auf das Jahr 1877 fortgeführt. Willisens „Theorie des großen Krieges", durch die Ergebnisse der Feldzüge von 1859 und 1866 vermehrt, erschien in neuer Auflage. Kuglers „Handbuch der Malerei" wurde zum drittenmal gedruckt.

Unter den ganz neuen Unternehmungen der jetzigen Leipziger Firma sind zu erwähnen: die „Jahrbücher der deutschen Geschichte"; die „Allgemeine deutsche Biographie", auf 20 Bände berechnet; die „Preußischen Geschichtschreiber des XVI. und XVII. Jahrhunderts"; die „Hanserecesse" 6 Bände, durch Karl Koppmann und von der Ropp herausgegeben; die „Hansischen Geschichtsblätter", die „Jahrbücher des Deutschen Reiches" von Ranke, die „Encyklopädie der Rechtswissenschaft" von v. Holtzendorff und dessen „Jahrbuch für Gesetzgebung, Verwaltung und Rechtspflege des Deutschen Reiches"; das „Staatsarchiv, Sammlung der officiellen Actenstücke zur Geschichte der Gegenwart"; E. v. Cosel, „Geschichte des Preußischen Staates", in 8 Bänden; Peschels „Abhandlungen zur Erd- und Völkerkunde"; viele Schriften, die Zustände der deutsch-russischen Provinzen behandelnd; die „Memoiren des Kaisers Maximilian von Mexico", deren 2. Auflage, 60 Bogen stark, in 9 Tagen in der Pierer'schen Hofbuchdruckerei hergestellt wurde; die Werke von Carl Emil Franzos, ꝛc. Die Aufzählung dieses Theiles der neuen Verlagswerke beweist schon zur Genüge die Bedeutung der Firma, die zugleich der Ausstattung aller ihrer Verlagsartikel eine ganz ungewöhnliche Sorgfalt widmet; sie sind in der Pierer'schen Hofbuchdruckerei in Altenburg gedruckt.

Die Winter'sche Verlagshandlung,

welche 1822 in Heidelberg gegründet wurde, kam am 1. Dec. 1854 Winters Verlag in den Besitz von G. B. E. Polz. 1858 wurde C. F. Graubner Theilhaber und übernahm am 1. Mai 1864 das Geschäft als alleiniger Besitzer. Der Verlag, der durch den J. B. Müller'schen in Stuttgart, den Fest'schen und theilweise den Ernst Schäfer'schen in Leipzig vermehrt wurde, besteht namentlich aus Werken rechts-, staats- und naturwissenschaftlichen Inhaltes. Aus den Artikeln ersterer Gattung seien erwähnt: Rau, „Lehrbuch der politischen Oekonomie" in zahlreichen Auflagen, Zöpfl, „Grundsätze des gemeinen deutschen Staatsrechtes", Martius Lehrbücher des „Criminalprocesses" und des „bürgerlichen Processes", Renaud's „Lehrbuch des Civilprocessrechtes". Von naturwissenschaftlichen Werken und Journalen führen wir an: Liebigs „Chemische Briefe"; desselben „Annalen der Chemie" (Bd. 196); Leuckart, „Die menschlichen Parasiten"; Roßmäßler, „Der Wald"; Willkomm, „Forstliche Flora"; Brehm, „Gefangene Vögel"; Bronn „Klassen und Ordnungen des Thierreichs"; Günther, „Lehre von den blutigen Operationen", u. s. w.

Verschiedene Verleger.

Die Firma Joh. Ambr. Barth blieb bis 1863 im Besitz seiner J. a. Barth Wittwe und ging dann auf den Sohn Dr. Ab. Ambr. Barth über. Derselbe, der wohl geeignet war, das Geschäft im Sinne der Vorväter fortzuführen, starb leider schon nach sechs Jahren. Im Besitz folgte 1870 der Bruder, Joh. Ambr. Barth, der den Verlag durch den Ankauf des größten Theiles der Rud. Weigel'schen Artikel vermehrte. Von den berühmten „Annalen der Physik und Chemie", von J. C. Poggendorff, erschien 1874 der 150. Band in einer Jubelausgabe. Ein bedeutender Artikel ist W. G. Lohrmann, „Karte des Mondes" in 25 Kupfertafeln.

Als Leopold Baß sich 1865 zur Ruhe setzte, übernahm sein Leop. Baß zweiter Sohn Julius das Geschäft und führte es ganz im Sinne des Vaters fort. Er verlegt namentlich Werke auf den Gebieten der Philosophie, der Medicin und der Naturwissenschaften, die sich sowohl durch die Correctheit als die äußere Ausstattung vortheilhaft auszeichnen.

Aus dem philosophischen Verlag sind hervorzuheben die von C. Hartenstein herausgegebenen Kant'schen und Herbart'schen Werke; in medicinischer Richtung eine größere Anzahl geschätzter Compendien, z. B. Funke, „Physiologie"; Buchheim, „Arzneimittellehre"; zu den kostbaren älteren naturwissenschaftlichen Werken gesellen sich neue, z. B. Goettes Buch über die Unke.

Opik'sche Buchhandlung Die Opik'sche Buchhandlung wurde seit 1848 von Alexander Wilh. Kirbach betrieben. Der Verlag ist streng wissenschaftlicher, namentlich ethnographischer Natur.

G. Fleischer Die Firma Ernst Fleischer ging 1851 auf Ferd. Sechtling über und kam 1870 in die Hände von Carl August Schulze.

H. W. Hahn Heinr. Wilh. Hahn feierte am 18. September 1868 sein 60jähriges Jubiläum. Er starb am 19. April 1873. Besitzer ist seitdem H. W. A. Thielen in Hannover. Das Geschäft wirkt ganz in bekannter rühmlicher Weise fort.

Jul. Baumgärtner Jul. Baumgärtners Buchhandlung, im Besitz der Witwe Julius B.'s, arbeitete in der begonnenen Weise weiter. Am 1. Juli 1876 ging das Geschäft auf den ältesten Sohn Dr. Alphons Baumgärtner über. Unter den neuesten Unternehmungen sind ganz besonders H. Köhler, „Polychrome Meisterwerke der monumentalen Kunst in Italien" zu nennen, ein Prachtwerk im edelsten Stile.

J. E. Herbig Die von Friedr. Eusebius Herbig 1819 begründete Firma F. X. Herbig wurde 1839 von Friedrich Wilhelm Grunow erworben. Grunow starb 1877. Unter seiner Firma erschienen verschiedene Werke von Julian Schmidt; die „Grenzboten"; Mor. Busch, „Graf Bismarck" u. v. a. Werke.

Fr. Fleischer Friedr. Fleischer trennte 1853 seinen Verlag von dem Sortiment und setzte ersteren kräftig fort. Er starb den 3. Mai 1874. Sein Andenken wird leben, so lange die, namentlich durch ihn ins Leben gerufenen Institutionen, deren oben gedacht wurde, bestehen.

J. M. Gebhardt J. M. Gebhardts Verlag (Leop. Gebhardt) ist reich an guten Jugendschriften und verlegte die kaufmännischen Schriften von Aug. Schiebe und C. G. Odermann.

Veit & Co. Die Verlagshandlung Veit & Co. wurde am 1. Januar 1834 von dem später um den Buchhandel so hochverdienten Dr. Moritz Veit gegründet und befindet sich seit 1876 in den Händen von Hermann Crebner. Die Werke sind meist naturwissenschaftlichen, medicinischen und geschichtlichen Inhaltes. Erwähnt seien: „Archiv für Anatomie, Physiologie und wissenschaftliche Medicin" von Joh. Müller und

E. du Bois-Reymond; die anatomischen Tafeln von W. Braune; Droysen, „Geschichte der Preußischen Politik", in 5 Abth.; L. von Rönne, „Verfassung und Verwaltung des Preußischen Staates"; Leop. Schefer, „Ausgewählte Werke". Eine Verlagsspecialität sind Schriften über das Schachspiel.

Der Verlag von Dörffling & Franke beschränkt sich fast ganz auf die Theologie; zu nennen sind namentlich: C. F. Keil und Fr. Delitzsch, „Biblischer Commentar über das Alte Testament" 16 Bde.; Graul, *Bibliotheca Tamulica*; viele Schriften von C. E. Luthardt u. A.

Eb. Avenarius & Heinr. Mendelssohn gründeten die Firma Avenarius & Mendelssohn, kauften 1850 von Carl B. Lord die illustrirten Werke, welche zuerst im Verlage J. J. Webers erschienen waren, und druckten neue hinzu. Von Georg Wigand übernahmen sie 1852 den Meßkatalog und das „Literarische Centralblatt". 1855 trennten sich die Associés; Avenarius behielt das „Literarische Centralblatt", Mendelssohn den sonstigen Verlag. Unter seinen neueren Artikeln sind besonders verschiedene Werke und Ausgaben des Neuen Testaments von C. v. Tischendorf und die „Reisebriefe" Felix Mendelssohn-Bartholdys in zahlreichen Ausgaben zu erwähnen.

Ambr. Abel übernahm 1852 den Bücherverlag Fr. Hofmeisters und druckte nur Werke naturwissenschaftlichen und medicinischen Inhalts. Bedeutende Unternehmungen sind H. G. L. Reichenbach und E. Reichenbach, *Icones florae Germanicae et Helveticae*, in 20 Bdn. in 4°, eine wohlfeile Ausgabe erschien in 8°; Reichenbach, *Iconographia botanica; R. de Visiani, Flora dalmatica; G. W. Walpers, Repertorium.* A. Abel starb 1878.

Arthur Felix kaufte 1856 den von Alb. Förstner i. J. 1802 in Berlin gegründeten Verlag und im Jahre 1863 die Verlagshandlung J. P. Engelhardt in Freiberg. Felix starb 1870. Der Verlag ist namentlich mineralogischer sowie berg- und hüttenwissenschaftlicher Natur.

Quandt & Händel (Besitzer A. W. H. Händel) läßt hauptsächlich Bücher und Zeitschriften aus den Fächern der Chemie und Physik drucken, darunter H. Hirzels und G. Gretschels „Jahrbuch der Erfindungen".

Karl Scholtze (gegr. 1868) wirkt in kräftigster Weise für seinen architektonischen, technischen und kunstgewerblichen Verlag, der schon einen bedeutenden Umfang erreicht hat. Darunter befinden sich: A. Demmin, „Handbuch der bildenden und gewerblichen Künste", mit

6000 Abbild.; „Architekten-Mappe", 4. Aufl.; G. Berger, „Lehre der Perspective", 5. Aufl.; Ed. Blochi, „Façaden-Album", 2. Aufl.; A. Fricke, „Vorlagen für Architektur", 4. Aufl.; A. Graef „Ornamentik der Industrie", 2. Aufl.; D. Guillmard, „Ornamenten-Schatz"; viele Werke von Hittenkofer, F. W. Holz, W. Jeep, F. O. Schulze u. A.

Mit den genannten ist übrigens die Liste der jetzt thätigen Verlagshandlungen keineswegs erschöpft.

Es sind nur noch die Buchdruckereien außer den Universal-Anstalten zu erwähnen, welche den Verlegern wissenschaftlicher Werke in ihrem Streben besonders beistanden oder noch beistehen, zuerst:

Die Officinen H. Tauchnitz, Fr. Nies und W. Drugulin.

Fr. Nies   **Fr. Nies** war, wie schon an anderer Stelle bemerkt wurde, nicht ganz im Stande, mit seinen orientalischen Schriftgießerei- und Buchdruckerei-Arbeiten den Ansprüchen der fortschreitenden Wissenschaft zu genügen. Er war jedoch nicht der Mann, um das heute rücksichtslos zu verwerfen, was gestern gut gewesen war, und so wurde ihm die frühere Schaffenslust verleidet und das sonst so blühende Geschäft veröbete nach und nach. Am 1. Juli 1856 verkaufte er das Geschäft an Carl B. Lord, während sein großer Grundbesitz später in die Hände des Hrn. G. Kürsten überging, der dorthin seine, namentlich durch den Verlag des weitverbreiteten „Dorf-Anzeiger" bekannte Officin (früher Fischer & Kürsten) verlegt hat.

C. B. Lord   **Carl B. Lord,** der die Firma „Fr. Nies'sche Buchdruckerei und Schriftgießerei" beibehielt, war 1814 in Copenhagen geboren, stubirte dort, trat jedoch, von der Liebe zur Buchdruckerei getrieben, in die Lehre bei den damals bekanntesten Buchdrucker Copenhagens, Bianco Luno. Den Buchhandel lernte er bei J. J. Weber in Leipzig, mit dem er sich zur Herausgabe illustrirten Bücherverlags und der Illustrirten Zeitung vereinigte. 1845 übernahm er den Bücher-Verlag unter seiner Firma. Von seinen späteren Unternehmungen seien erwähnt: die illustrirte Ausgabe von Thiers', „Geschichte des Consulats und des Kaiserreichs"; H. C. Andersens, H. C. Oersteds, Ch. Dickens' Werke, Gutzkow, „Dramatische Schriften"; die „Historische Hausbibliothek" (80 Bde); die Zeitschrift „Europa". Dieser Verlag ging auf Verschiedene, die von ihm hervorgerufene Buchhandlung für Skandinavische Literatur auf Alphons Dürr über. Seine Hauptaufmerksamkeit wendete Lord der Buchdruckerei zu, die völlig reorganisirt und so bedeutend

vervollständigt wurde, daß der officielle Bericht über die Pariser
Weltausstellung 1867 erklärte, nur die Kaiserliche Druckerei in Paris
könne in Frankreich dasselbe leisten. Im Jahre 1868 gab Lorck auch
die Druckerei und zwar an W. E. Drugulin ab. Seitdem widmete
er sich der Herausgabe der „Annalen der Typographie".

W. E. Drugulin (geb. am 25. Febr. 1822) hatte die Buch-   W. E.
druckerei in der Nies'schen Officin gelernt, sich später vielfach literarisch   Drugulin
beschäftigt und 1856 ein antiquarisches Kunstgeschäft unter der Firma
„Leipziger Kunstcomptoir" etablirt. Drugulin genoß den Ruf eines
der größten Kenner von älteren Stichen und Drucken, und seine
Kataloge und Kunstauctionen standen im besten Ansehen. Als Buchdrucker setzte er das, von seinen Vorgängern begonnene Werk mit großer
Energie und Sachkenntniß fort. Es gelang ihm noch, die Stempel und
die Matern der Karl Tauchnitz'schen Schriftgießerei, die in den Besitz
von Metzger & Wittig übergegangen waren, und außerdem noch mehrere
orientalische, von Metzger in Indien geschnittene Schriften zu erwerben.
Durch die Vereinigung der Schriften der beiden Officinen Nies und
Tauchnitz, die vom Beginn ab mit demselben Ziel vor Augen geleitet
waren und die sich in mancher Beziehung ergänzten, durch noch weitere
Erwerbungen und eigene Schöpfungen, ist nunmehr ein Schriftcomplex
geschaffen worden, wie es in Deutschland keinen zweiten giebt.

Eine Specialität der Officin ist der Druck von Werken im alten
Stil. Drugulins antiquarische Kenntnisse und sein ausgeprägter
Kunstsinn standen ihm hier in fördernster Weise zur Seite und er
bewies in dieser Richtung einen hohen Grad von Meisterschaft. Die
bei ihm in Druck befindliche „Chronik von Sachsen unter der Regierung
König Alberts", eine nachträgliche Festgabe zur silbernen Hochzeit
des Königspaares, ist ein wahrer typographischer tour de force im
mittelalterlichen Stile; Sensenschmid und Rabolt würden sicherlich
keinen Anstand genommen haben, Drugulin als Dritten im Bunde
anzunehmen. Es ward diesem nicht vergönnt, die Beendigung des
Werkes zu erleben. Er starb am 20. April 1879. Sein „typographisches
Requiem" wurde die dritte Auflage von Lorcks „Die Herstellung von
Druckwerken", die als eine Probe des enormen Reichthums der
Druckerei an seltenen Schriften dienen kann.

Ph. Tauchnitz hatte bereits 1865 die K. Tauchnitz'sche Officin an   K. Tauchnitz
F. L. Metzger abgetreten. Metzger war früher Schriftgießereifactor
bei Karl Tauchnitz gewesen und ging 1848 als Vorsteher der Druckerei
der Church mission society nach Agra in Indien, wo er 14 Jahre

weilte und sich als Schriftschneider orientalischer Schriften einen Namen
erwarb. Die Druckerei in Agra wurde durch die Revolution 1857
zerstört und nach Allahabad verlegt. 1863 kam Metzger nach Leipzig
zurück und associirte sich mit Rob. Wittig, einem Manne von großen
Geistesgaben und mit guten Geschäftserfahrungen ausgerüstet. Das
Geschäft „Metzger & Wittig" blühte rasch empor und beschäftigt jetzt
9 Schnellpressen und gegen 110 Arbeiter. Wittig, der sich in dem
deutschen Buchdrucker-Verein, namentlich in den Tarif-Angelegenheiten,
besonders thätig gezeigt hatte, starb am 19. April 1876. Der Fond
der alten und orientalischen Schriften von Karl Tauchnitz ging, wie
schon erwähnt, auf Drugulin über.

Verschiedene Officinen.

Buchdrucker für den wissenschaftlichen Verlag Bär & Hermann (gegr. 1860) arbeiten mit 10 Schnellpressen
und beschäftigen circa 150 Arbeiter, die Officin besitzt eine Schrift-
gießerei für die Bedürfnisse des Hauses. Sie druckt fast den ganzen
Verlag der Hahn'schen Verlagshandlung und ist ganz besonders mit
russischen Schriften gut versehen. — A. Th. Engelhardt, ein Zögling
von Fr. Nies, gründete 1853 eine Buchdruckerei, die jetzt zu den am
besten eingerichteten gehört und 7 Schnellpressen beschäftigt. — Gute
Arbeiten liefern Grimme & Trämel mit 4 Schnellpressen. — Die
Firma C. L. Hirschfeld (Besitzer J. B. Hirschfeld) hat sich ihr gutes
Renommée für Werkdruckarbeiten erhalten. — C. Kreysing, früher die
F. C. W. Vogel'sche Buchdruckerei, besitzt verschiedene orientalische
Schriften. — Zu erwähnen sind ferner Ackermann & Glaser, Ferber
& Seydel, W. Schubardt & Ca., Leopold & Bär, Pöschel & Trepte,
Productiv-Genossenschaft deutscher Buchdrucker in Reudnitz. Auch
hier gilt, was bei den Verlagshandlungen erwähnt wurde, daß die
Liste keineswegs erschöpft ist.

C. Polz Außer der Officin des „Leipziger Tageblattes" besitzt Leipzig keine
große Zeitungsbuchdruckerei. Die Firma C. Polz beschäftigt zunächst
mit dem Drucke des genannten Blattes 6 Doppel- und 4 einfache
Schnellpressen. Das „Leipziger Tageblatt" wurde am 1. Juli 1807
gegründet und bestand damals aus einem halben Bogen in kleinstem 4°.
Jetzt ist eine Nummer in der lebhaften Geschäftszeit oft 8—10 Bogen
in Folio stark. Die Auflage beträgt 16,000 Expl. Seit 1873 ist
Woldemar Polz alleiniger Inhaber der Firma.

G. Reusche Ein Concurrenzblatt gegen das Tageblatt sind die „Leipziger
Nachrichten", sie werden von Guido Reusche gedruckt und verlegt.

4) Der Musikalien- und der Kunsthandel.

Wie im Bücherverlag, so hat Leipzig auch im Musikalien-verlag unbestritten für jetzt die Oberherrschaft. Berlin und Wien besitzen selbstverständlich für den Musikhandel eine große Wichtigkeit und werden diese behalten. In allen anderen Städten tritt er nur sporadisch auf, geknüpft an den Namen irgend eines intelligenten Unternehmers. Zieht eine Firma von Bedeutung von einer Stadt weg, wie z. B. Simrock von Bonn, so hat damit die Geltung des Platzes als musikalischer Verlags-ort aufgehört, weil die Vorbedingungen, die einen bestimmten Geschäfts-zweig an einen Ort knüpfen, nicht vorhanden sind.

Anders liegen die Verhältnisse in Leipzig. So wenig wie dieses nur durch Zufall Stapelplatz des Buchhandels geworden, so wenig hat sich der Musikhandel zufällig hieher gezogen. Leipzigs Buch-handel fand seine Stütze in der berühmten Universität; Leipzigs Bedeutung in der Musikwelt ward fest begründet durch sein Gewandhaus-concert, seinen Thomanerchor, sein Conservatorium für Musik, seine Vereine für geistliche und weltliche Vocal- und Instrumentalmusik. Männer wie J. S. Bach, Doles, Hiller, Schicht, Felix Mendelssohn-Bartholdy, Moscheles, Hauptmann, David, Gade, Rob. Schumann, Rietz, Reinecke wirkten persönlich hier und übten einen mächtigen Ein-fluß auf die musikalischen Verhältnisse aus. Mit der Praxis ging die Theorie Hand in Hand; die musikalische Literatur und Journalistik fanden hier Herausgeber und Verleger.

8

J. G. J. Breitkopf leistete durch seine Kataloge, durch seinen Handel mit geschriebenen Musikalien, vornehmlich aber durch seine Verbesserungen im Notentypendruck dem Musikaliengeschäft wesentlichen Vorschub. Später wurden seine Erfindungen durch die Lithographie und die Verbindung der Gravirung und des Stiches mit dem Umdruck und der lithographischen Schnellpresse überflügelt. Die erreichte Schnelligkeit und Billigkeit der Herstellung, im Verein mit dem Aufhören des Verlagsschutzes für die musikalischen Classiker haben eine Umwälzung im musikalischen Verlag hervorgebracht, die eine weit größere ist, als die Bewegung, welche gleichzeitig auf bibliopolischem Gebiete durch den Uebergang der Werke der großen Schriftsteller des Volkes in den Besitz der Nation entstand.

Der Boden für Leipzigs Musikalien-Verlag war schon lange gut vorbereitet; derselbe wurzelt in diesem so fest, und das Gedeihen ist ein so naturwüchsiges, daß er nach menschlicher Einsicht auf lange hin hier blühen und reife Früchte tragen wird.

———

Von den Verlegern ist zuerst zu erwähnen das alte, berühmte, im Vorhergegangenen öfters (S. 16 u. 90) besprochene Haus

Breitkopf & Härtel.

Der Musikverlag hatte ein Jahrzehnt nach G. C. Härtels Tode einen neuen Aufschwung genommen und es war dem Brüderpaare H. und R. Härtel vergönnt, in bester Manneskraft die neue Blütheperiode der Musik zu erleben, deren hervorragende Vertreter: Mendelssohn, Schumann, Chopin ihre Werke dem Verlage Breitkopf & Härtels anvertrauten, während die Werke Schuberts und Webers nach Heimfall des Eigenthumsrechts an die Nation in revidirten Ausgaben veröffentlicht wurden. Das bis Ende 1878 ergänzte Musikverzeichniß umfaßt in mehr als 15,000 Werken das gesammte Gebiet der Musik; von den alten Meistern bis zum Schöpfer des deutschen Musikdramas fehlt kaum ein gefeierter Name. Die Musikpädagogik ist in allen Fächern vom ersten Notenschreibunterricht bis zur Ausbildung des Virtuosenthums und der philosophischen Begründung der Theorie vertreten.

Die Grundlage der gesammten Verlagsthätigkeit bildet nach wie vor die Veröffentlichung neuer musikalischer Schöpfungen. Nächstdem hat sich die Firma zwei Hauptausgaben gesetzt: die Herausgabe einer monumentalen kritischen Gesammtausgabe und einer billigsten Volksausgabe der musikalischen Classiker.

An die Veranstaltung der ersteren Gesammtausgaben, die für die Uebertragung kritisch-philologischer Principien auf die Musikwissenschaft epochemachend geworden sind, setzte die Firma, in planmäßiger Weise vorgehend, seit der Mitte des Jahrhunderts ihre besten Kräfte. Um das Zustandekommen einer Partiturausgabe von J. S. Bachs Werken, deren 24. Folioband in Vorbereitung ist, machte sie sich durch Mitbegründung der Bachgesellschaft und durch die technische Ausführung verdient, die sie auch der Händelgesellschaft widmete. Die vollständige Ausgabe in Partitur und Stimmen von L. van Beethovens Werken in kritischer Revision von hervorragenden Männern ward von 1862 bis 1866, eine gleiche Ausgabe von F. Mendelssohn-Bartholdys sämmtlichen Werken, kritisch durchgesehen von J. Rietz, von 1874 bis 1876 zu Ende gebracht. Eine Partiturausgabe von W. A. Mozarts sämmtlichen Werken ist seit 1876 im Gange und zur Hälfte vollendet, eine complete Ausgabe von F. Chopins Werken wurde 1878 begonnen und soll Anfang 1880 abgeschlossen werden. Eine etwa 30 Foliobände umfassende Ausgabe von G. P. de Palästrinas Werken, welche sich an die bereits fertig vorliegenden 7 Bände der Motetten anschließt, wurde soeben angekündigt.

Seit 1866 ward, um dem modernen Bedürfniß zu genügen, die „Ausgabe Breitkopf & Härtel" zu billigen Preisen veranstaltet. Ende 1877 ward auf Grund und an Stelle derselben die „Volksausgabe Breitkopf & Härtel" ins Leben gerufen, von der jetzt schon circa 400 Bände vorliegen. Dieselbe giebt die Hauptwerke der Classiker in ächter Gestalt unter der Bürgschaft der ersten Musik-Kritiker, in billigster Weise, zugleich in sehr guter Ausstattung.

Um die Ansprüche des musikalischen Sortimenthandels befriedigen zu können, begründeten Breitkopf & Härtel im Jahre 1878 ein großes Lager gebundener Musikalien und Musikliteratur eigenen sowohl als fremden Verlages, welche zu den Originalpreisen der Verleger geliefert werden; fortwährend vervollständigte Kataloge berichten über die rasche Ausdehnung dieses sehr nützlichen Etablissements.

C. F. Peters, Bureau de Musique,

ist das nächstälteste, an Umfang der Production und des Absatzes *u. F. Beim* jetzt das größte Musikaliengeschäft Leipzigs. Bereits vom Beginne ab hatte die Handlung einen sehr guten Ruf. Die Begründer Hoffmeister und Kühnel waren selbst durchgebildete Künstler und verfolgten die gediegenste Richtung. Nachdem die Handlung nach C. G. S. Böhmes Tod 1855 eine Zeitlang für Rechnung der

Böhme'schen Wohlthätigkeitsstiftung verwaltet worden ward, ging sie 1860 in den Besitz Jul Friedländers über, der 1863 Dr. Max Abraham als Theilhaber aufnahm. Das Geschäft befindet sich seit 1875 in dem eigenen schönen Geschäftsgebäude in der Thalstraße.

Ihren früheren Ruhm verdankte die Firma den kritischen Ausgaben von Joh. Seb. Bachs, Händels, Haydns und Mozarts Instrumentalwerken, sowie den Compositionen Kreutzers, Rodes, Spohrs und vielen einzelnen Werken berühmter Tondichter. In neuerer Zeit ist die Firma ganz besonders durch ihre Edition Peters bekannt geworden. Diese bis auf nahezu 2000 Nummern angewachsene Collection ist wieder eine der Universalunternehmungen, die so Vieles zu Leipzigs bibliopolischem Ruf beitragen. Das Ganze ist in planmäßigster und schneidigster Weise angelegt und durchgeführt und enthält, mit Ausnahme von Chopin, dessen Werke erst am 1. Jan. 1880 Gemeingut werden, fast Alles, was von classischer Musik existirt, in sorgfältigster Ausstattung und in sehr correcten und kritisch behandelten Ausgaben. Da finden sich Partituren von Bach, Haydn, Mozart, Beethoven, Schubert, Mendelssohn; Chorstimmen zu deren hauptsächlichsten Vocalwerken; 60 Clavierauszüge von Opern und Oratorien für Pianoforte zu 2 Händen; 43 zu 4 Händen; 200 Ausgaben mit Text; die Originalwerke sämmtlicher Classiker für Pianoforte je zu 2 und 4 Händen und in Begleitung anderer Instrumente; weit über 1000 Lieder; eine Menge von Arrangements, u. s. w. Für Vocalwerke wurde ein praktisches gr. 8°, für die Clavierwerke zu 2 Händen gr. 4°, für Clavierwerke zu 4 Händen qu. 4° gewählt.

Friedr. Kistner.

Fr. Kistner   Nach Friedr. Kistners Tod blieb das Geschäft noch bis 8. Oct. 1866 in den Händen der Erben und ging an diesem Tage auf C. F. L. Gurckhaus über, welcher dasselbe schon lange geleitet hatte. Die Firma nimmt eine sehr bedeutende Stellung ein und besitzt einen großen, gediegenen Verlag von fast allen neueren Meistern, ohne eine besondere Richtung zu verfolgen. Ein bedeutendes Werk ist Cherubinis „Theorie des Contrapunktes und der Fuge". Auber, Boieldieu, Berlioz, Chopin, Czerny, Mendelssohn, Rob. Franz, Hiller, Schumann, Bennett, Moscheles, Rietz, Gade, David, Reinecke sind stark vertreten; auch Opern-Componisten allerneuester Zeit; so erschienen bei Kistner die Partituren von Kretschmers „Die Folkunger" und „Heinrich der Löwe"; von Herm. Götz' „Der Widerspänstigen Zähmung" und „Francesca von Rimini". Kistner hat zugleich ein bedeutendes Commissionsgeschäft.

Verschiedene Musikalienverleger.

Neben den drei genannten wirkt in Leipzig eine Anzahl zum Theil sehr bedeutender Musikalienverleger.

Friedr. Hofmeister starb am 30. September 1864, fast 83 Jahre *J. Hofmeister* alt, nachdem er bereits im Jahre 1852 seinen Söhnen **Adolph Moritz** und **Wilh. Friedrich** das Geschäft übergeben hatte. Ersterer starb 1870, letzterer 1877 als Professor der Botanik in Heidelberg. Die Handlung ist jetzt im Besitze von Prof. Hofmeisters Erben und W. R. **Albert Röthing**, der das Geschäft leitet. Adolph Hofmeister war bekannt als Herausgeber von dem „Handbuch der musikalischen Literatur" und von dem musikalischen „Monatsbericht". Der Verlag ist ein bedeutender, ohne eine besondere Richtung zu vertreten.

C. F. W. Siegels Musikalienverlag wurde 1846 von **Siegel** *C. F. W.* und **Edm. Stoll** gegründet. Im Jahre 1850 trennten sich die Associés *Siegel* und theilten sich in den Verlag. Nach Siegels Tod, 1869, ging sein Geschäft auf Rich. Linnemann über, und befindet sich jetzt in schönster Blüthe. Der Verlagskatalog weist eine besonders reiche Auswahl von Saloncompositionen, von vielen Liedern und Gesängen für Männerchor und anderen werthvollen Compositionen, namentlich neuerer Meister, auf. Die Handlung erwarb fast sämmtliche Compositionen Max Bruchs, dann viele von Reinecke, Rubinstein, Jadassohn, Gade, Genée, Suppé, Rheinberger u. A.

J. Rieter-Biedermann entstand 1849 in Winterthur. Der *J. Rieter-* Begründer war ein Seidenhändler **Joh. Melchior Rieter-Bieder-** *Biedermann* **mann**, der sich, bereits in reiferen Jahren stehend, aus besonderer Vorliebe dem Musikalienverlag widmete. Dieser gewann schnell durch die edle Richtung, die er verfolgte, und durch die würdigste Ausstattung Aufmerksamkeit und Ansehen. Am 1. März 1862 verlegte Rieter-Biedermann den Schwerpunkt seiner Handlung nach Leipzig. Seiner emsigen, aufopfernden Thätigkeit setzte der Tod am 25. Januar 1876 eine Grenze. Seit dieser Zeit leitet sein Schwiegersohn, Edm. Astor, die Handlung treu im Sinne des Gründers fort. Der Katalog zählt bereits über 1000 Nummern auf, unter welchen Brahms einen bedeutenden Platz einnimmt. Unter den jüngsten Erscheinungen ist als eine besonders verdienstvolle die sehr sorgfältige Ausgabe einer Reihe von Kirchencantaten Seb. Bachs in Clavierauszügen und mit untergelegten Orgelstimmen zu nennen. Ein rühmliches Beispiel schönster Ausstattung giebt der Clavierauszug von Beethovens „Fidelio".

Großer Dank gebührt der Firma für die Wiederaufnahme der
„Allgemeinen Musikalischen Zeitung", welche von Breitkopf & Härtel
begründet war und in ihrer neuen Gestaltung jetzt schon 13 Jahre
hinter sich hat. Auch andere musikalisch-literarische Werke verdanken
der Firma ihre Entstehen.

C. F. Kahnt   **Chr. Fr. Kahnt** gründete 1851 sein Geschäft. Bei Gelegenheit
des 25jährigen Jubiläums trat sein Sohn Paul Kahnt als Theilhaber hinzu. Ihren ausgeprägten Charakter und ihre Bedeutung
gewann die Firma namentlich durch die Uebernahme der von Rob.
Schumann 1834 gegründeten, von ihm bis 1844, später von Franz
Brendel redigirten „Neue Zeitschrift für Musik". Seit dem Tode
des Letzteren hat Kahnt selbst die Leitung übernommen. Hand in
Hand mit der journalistischen Vertretung der „neuen Richtung" in der
Musik, welche Franz Liszt, der dem Blatte seine besondere Protection
zuwendete, mit seinen symphonischen Dichtungen inaugurirt hatte, trat
auch die eigenartige Richtung des musikalischen Verlages ein, der
zum großen Theil aus den Compositionen Liszts und dessen Nachfolger besteht. Auch theoretische Schriften erschienen bei Kahnt.

C. W. Fritzsch   Wie Liszt in Kahnt, so hat Richard Wagner in C. W. Fritzsch,
einer Handlung jüngeren Datums, eine thätige Vertreterin gefunden.
Von Fritzsch selbst herausgegeben erscheint bereits im 10. Jahrgange
„Musikalisches Wochenblatt", welches die Wagner'sche Richtung mit
Takt und Geschick vertritt. Wagners gesammelte Schriften und seine
Dichtungen erscheinen bei Fritzsch, sowie eine nicht unbedeutende Anzahl
von musikalischen Werken jüngerer Componisten. Als ein Curiosum
sei ein Buch von W. Tappert: „Wagner-Lexikon, Wörterbuch der
Unhöflichkeit" erwähnt, welches eine sehr gewissenhafte Sammlung
aller der groben, höhnenden und gehässigen Ausdrücke enthält, die
gegen Wagner, seine Anhänger und Nachfolger gebraucht wurden.

Barth. Senff   **Bartholf Senff** gründete sein Geschäft 1847. Senff ist namentlich durch seine, jetzt im 37. Jahrgange stehende Zeitschrift: „Signale
für die musikalische Welt" bekannt und populär geworden. Diese
äußerst reichhaltige und unterhaltende Zeitschrift ist sozusagen ein
Moniteur der Künstlerwelt geworden, übt einen großen Einfluß auf
den geschäftlichen Verkehr der Künstler und Kunstgenossen aus und
trägt den Tagesbedürfnissen derselben in vortrefflicher Weise Rechnung.
Senffs Musikalienverlag blüht daneben frisch auf und enthält manche
werthvolle Arbeiten jüngerer Musiker, namentlich ist der Name Rubinstein sehr stark vertreten.

J. Schuberth & Co., ein sehr ausgebreitetes Geschäft mit Filiale in New-York, wurde am 6. October 1826 in Hamburg gegründet und besteht in Leipzig seit 1. Juli 1859. Unter den Originalen des Verlages finden sich Werke von Liszt, R. Schumann, Burgmüller, Krebs, Vieuxtemps u. v. A. Die Edition Schuberth ist reich an Originalen und Bearbeitungen. J. G. Schuberth starb am 9. Juni 1875. Als Schriftsteller ist er bekannt durch sein in zehnter Auflage erschienenes „Kleines musikalisches Conversations-Lexikon". — Robert Forbergs seit 25 Jahren bestehender Verlag ist auf bald 2500 Nummern herangewachsen und enthält vieles sehr Gute ohne einen ausgeprägten Charakter. — Robert Seitz Verlag ist ein verdienstlicher, wenn auch nicht sehr großer. — Fr. Whistlings Katalog zeigt Werke von Rob. Franz, Fr. Küken, Rob. Schumann u. A. — F. E. C. Leuckart wurde 1782 in Breslau begründet und von dem späteren Besitzer Constantin Sander 1870 nach Leipzig gebracht. „Leuckarts Hausmusik" ist eine bedeutsame und gut bearbeitete Collection. — C. A. Klemm ist hauptsächlich bekannt auf Grund seiner bedeutenden Leihanstalt, deren Katalog über 25000 Nummern aufzählt. Von großer Bedeutung ist die von Alfr. Dörffel 1861 ins Leben gerufene Bibliothek. Eine für das Studium der Musik höchst werthvolle Bücher- und Musikaliensammlung ist die, früher Carl Friedr. Becker gehörende, jetzt in den Besitz der Stadtbibliothek übergegangene.

Der Kunstverlag und der Kunsthandel haben in Leipzig bei weitem nicht die Bedeutung, wie der Musikalienhandel. Die vielen Werke in illustrativer Richtung wurden bereits bei den einzelnen Verlegern besprochen. Der Kunstverlag im engeren Sinne jedoch, der sich namentlich auf die Veröffentlichung eigentlicher Kunstblätter legt, fand bisher so gut wie keine Vertretung.

Nicht ohne Bedeutung für den Verkehr im Kunsthandel ist die Verlegung des Fr. Bruckmann'schen Depot von Berlin nach Leipzig, um so mehr, als es den Anschein hat, als wolle der Depositär Ad. Tietze auch den Kunstverlag selbständig betreiben. Ein schönes Werk ist das von ihm begonnene: „Meisterwerke der Aquarell-Malerei", welches jedoch durch Berliner Kräfte ausgeführt wurde. — Auch Edwin Schloemp fing den Verlag photographischer Kunstblätter durch die „Gustav Freytag-Galerie" in bedeutsamer Weise an; dieses Werk wurde ebenfalls draußen, in München, ausgeführt. Ein zweites, soeben von Schloemp angefangenes Unternehmen „Das Kunstgewerbe im Hause", verspricht ein anziehendes zu werden. — Oskar Eigenbarf brachte die Anfänge einer „Wilhelm Hauff-Galerie".

Das Kunst-sortiment Die alte bekannte, 1799 begründete Kunsthandlung Pietro del Vecchio, seit 1872 in Besitz der Brüder Arnold und Oswald Süßmilch, behauptet ihren guten Ruf, hält sich jedoch von dem Verlag fern. Durch die von dem Vater, Otto Süßmilch, im Jahre 1846 begonnene Permanente Kunstausstellung hat sie außerordentlich viel zur Verbreitung des Kunstsinnes hier am Orte beigetragen und den Künstlern im Verkehr mit dem Publicum wesentliche Dienste geleistet. Der Werth des Instituts ist um so höher zu schätzen, als Leipzig außer seinem, hauptsächlich aus privaten Mitteln entstandenen und vermehrten Städtischen Museum keine öffentliche Galerie und keine regelmäßig wiederkehrende Kunstausstellung aufzuweisen hat.

Daß die neuen Schöpfungen: das Gewerbe-Museum, das Museum für Länder- und Völkerkunde, sowie die in diesem Jahre stattfindende Kunstgewerbe-Ausstellung nicht ohne Wirkung auf den Geschmack des Publicums und den Unternehmungsgeist der Verleger bleiben werden, ist anzunehmen. Dann ist es wohl auch nicht zu bezweifeln, daß die vorhandenen künstlerischen Elemente sich entfalten und neue sich zeigen werden, wenn sie entsprechende Verwendung finden.

In den letzten Jahren ist die Kunsthandlung Gustav W. Seitz (Besitzer Carl B. Lorck) bemüht gewesen, ein Centraldepot für die Erzeugnisse des Farbendruckes und der plastischen Kunstgewerbe zu schaffen, um damit nicht nur den Bedürfnissen des Platzes zu genügen, sondern auch dem Sortimentshandel diese Erzeugnisse, die in weit zerstreuten Fabrikationsorten des In- und Auslandes ihren Ursprung haben, bequem zugänglich zu machen.

Dem localen Geschäft widmen sich außer den Genannten noch Louis Rocca, I. B. Klein (R. Ravenstein), Louis Pernitzsch und Hermann Vogel, der zugleich ein umfangreiches Commissionsgeschäft besitzt.

Kunst-Antiquariat Seit dem Tode W. Drugulins ruht das Kunstantiquariat und die Veranstaltung der Kunstauctionen allein in den bewährten Händen C. G. Börners.

5) Die graphischen Hülfs-Gewerbe und -Künste.

Ein, wenn auch nur schwaches Bild von Dem zu geben, *Die Hülfs-gewerbe*
was Buchdrucker und Buchhändler in enger Verbindung,
oft sogar in einer Person vereinigt, für das Büchergewerbe
in Leipzig gewirkt haben und noch wirken, war die Aufgabe der vorstehenden Blätter. Daß die Typographie
den ersten Platz bei der Herstellung eines Druckwerkes einnimmt, läßt
sich ja nicht in Abrede stellen, aber das Buch der Neuzeit erhebt, wie
oft in dem Vorhergehenden zu bemerken Gelegenheit war, noch Ansprüche
an hülfsbereite Kräfte mancher Art. Die mit diesen Blättern gestellte
Aufgabe kann deshalb nicht als gelöst betrachtet werden, bevor nicht
ein Blick auf den Standpunkt geworfen worden ist, den die übrigen
graphischen Künste und Gewerbe in Leipzig einnehmen.

Was die Schriftgießerei betrifft, mit der in dem Nachfolgenden
der Anfang gemacht wird, so geschieht ihr streng genommen durch die
Versetzung auf diesen Platz ein Unrecht. Die Buchdruckerei kann keineswegs die Schriftgießerei wie eine der Künste neueren Datums: die
Lithographie oder die Photographie, ja selbst nicht wie die uralte
Vorgängerin der Typographie, die Xylographie, als ein Hülfsgewerbe
betrachten, welches man nach Ermessen oder Bedürfniß benutzt oder
unbeachtet läßt. Sie bildet eben das Wesen der Typographie. Denn
die mechanische Herstellung gleichmäßiger Typenkörper ist der ent-
scheidende Moment in der Erfindung Gutenbergs. Da die Schriftgießerei sich jedoch im Laufe der Zeit als selbständiges, nicht
nothwendig in Verbindung mit der Buchdruckerei stehendes Gewerbe
ausgebildet hat, so mag es wohl zulässig sein, ihrer an diesem Orte
getrennt von der Typographie zu gedenken.

1. Die Schriftgießerei. Die Lylographie.

Die Hochätzung.

Die Schrift-
gießerei

Die Schriftgießerei in Leipzig hat zwar einen bedeutenden Umfang, ist jedoch nicht tonangebend für Deutschland. Dem entgegen steht, so paradox es auch klingen mag, der große Umfang der Druckofficinen. Letztere treiben nämlich, wie auch an betreffender Stelle erwähnt wurde, fast alle die Schriftgießerei als Nebengeschäft entweder ausschließlich, oder doch zunächst, für den eigenen Bedarf. Da dieser hauptsächlich durch den Werkdruck bestimmt wird, das Accidenzfach aber keine hervorragende Stelle einnimmt, so hat man kein besonderes Interesse daran, mit der Mode gar zu schnell zu wechseln, um einander den Rang abzugewinnen, wogegen die Reisenden der, den Markt beherrschenden Frankfurter, Offenbacher und Berliner Officinen darauf angewiesen sind, bei ihren in der Regel mehrmals jährlich wiederkehrenden Besuchen die Kauflust ihrer Kunden stets durch etwas Neues zu reizen. Bringen sie nun etwas besonders Zweckmäßiges nach Leipzig, so werden wohl die Matern von den großen Häusern erworben, ob man jedoch damit ein halb Jahr eher oder später kommt, darauf liegt kein besonderes Gewicht. Nur griechische, hebräische, arabische, überhaupt seltenere, namentlich orientalische Schriften werden vorzugsweise von Leipzig (und Berlin) in Originalschnitten geliefert. Mit den Schriftgießereien sind dann auch Stereotypien verbunden, wodurch der Schriftenconsum wesentlich verringert wird.

Diejenigen Druckofficinen, die zugleich über eigene Schriftgießereien verfügen: F. A. Brockhaus, B. G. Teubner, Bernh. Tauchnitz, W. Drugulin, Jul. Klinkhardt, Bibliographisches Institut, Bär & Hermann, Breitkopf & Härtel, Metzger & Wittig wurden bereits besprochen.

Nach dem oben Gesagten kann der hiesige Platz somit nicht von überwiegender Bedeutung für die hiesigen selbständigen Schriftgießereien und deren Zahl demnach auch nur eine mäßige sein.

J. G. Schelter
& Giesecke

J. G. Schelter & Giesecke ist die größte Schriftgießerei Leipzigs, nächst der Flinsch'schen in Frankfurt a. M. die umfangreichste in Deutschland, und zugleich eine in jeder Hinsicht vorzüglich eingerichtete. Die Firma wurde am 24. Juni 1819 gegründet von den in der K. Tauchnitz'schen Officin arbeitenden J. G. Schelter und Chr. Fr. Giesecke. 1841 trat Schelter aus der Firma, welche Giesecke allein fortführte. Die erste Gießmaschine wurde im Jahre 1845 aufgestellt.

Nach dem 1850 erfolgten Tode Chr. Fr. Gieseckes ging das Geschäft auf die beiden Söhne C. W. F. Giesecke und B. R. Giesecke über. Die Zahl der Gießmaschinen wuchs auf 50 heran; 1870 wurde Dampfbetrieb für dieselben eingeführt. Die Räume erwiesen sich als zu klein, namentlich da noch eine Maschinenfabrik, eine galvanoplastische Anstalt, mechanische Werkstatt und Graviranstalt hinzugekommen waren. In der Brüderstraße wurde ein großartiges Geschäftshaus erbaut und mit allen neuen vortheilhaften Einrichtungen versehen; hier wird nun das Geschäft mit einem Arbeiterbestande von circa 300 Personen betrieben.

Der Betrieb selbst wurde gleichzeitig vollständig reorganisirt. Der Sohn Bernhard Gieseckes, Georg, welcher seine letzte geschäftliche Ausbildung in dem berühmten Hause Mac Kellar, Smith & Jordan (Johnson typo foundery) in New-York erhalten hatte, übernahm die technische Leitung. In dem Zeitraum von drei Jahren wurden 32 Gießmaschinen amerikanischer Construction fertiggestellt. Neben den amerikanischen arbeiten vorläufig noch 35 Maschinen älterer Construction. Zugleich begann auch die Herstellung neuer Matrizen nach amerikanischem System. Die nöthigen Hülfsmaschinen wurden theils im Hause selbst gebaut, theils von Amerika bezogen. An den Matrizen arbeiten unausgesetzt 7 Justirer, während 8 Mechaniker mit Herstellung der Instrumente, welche nur aus gehärtetem Stahl angefertigt werden, beschäftigt sind.

Die mechanische Werkstätte wurde mit den neuesten Bohr- und Fraismaschinen, Hobel- und Drehbänken ausgerüstet und ebenso die Dampf-Tischlerei zur Anfertigung von Buchdruck-Utensilien aller Art. Ein eigenes technisches Bureau vermittelt Buchdruckerei-Anlagen jeder Größe. Auch werden amerikanische Fahrstühle von W. Sellers & Co. in Philadelphia, Transmissionen von George Cresson ebendaselbst, Treibriemen von Anton Hein in New-York, Gordons „Franklin"- und Gallys „Universal"-Pressen, sowie Falzmaschinen von Martini, Tanner & Co. in Frauenfeld (Schweiz) nebst vielen Hülfsmaschinen auf Lager gehalten. Es ist ein so vollständiges Schriftgießerei-Institut, wie es verlangt werden kann und wie es selten gefunden wird.

Die Schriftgießerei **E. Berger** wurde 1842 von **Ernst Otto**, einem außerordentlich tüchtigen Schriftgießer, gegründet und ging 1862 in die Hände von **Ferd. Rösch**, einem bekannten Schriftschneider, über, bis sie 1866 von **Emil Berger** erworben wurde. Sie arbeitet mit 22 Gießmaschinen und beschäftigt gegen 60 Personen. **Kühl & Nach** beschäftigen 14 Gießmaschinen und circa 30 Personen. **C. A. Kloberg** liefert sowohl im eigentlichen Schriftgießereifach als in galvanoplastischen Arbeiten Vorzügliches. **Zierow & Mrusch** beschränken sich hauptsächlich auf Fabrikation guter Messinglinien, ebenso eine Firma neuesten Datums **Kliger & Heutze**. Diese Branche ist in neuerer Zeit außerordentlich in Aufnahme gekommen und tritt öfters als selbständiges Geschäft auf. Die zahlreichen Accidenzien mit Linieneinfassungen und die vielen tabellarischen Arbeiten haben den Bedarf sehr gesteigert. Gute galvanoplastische Arbeiten liefert auch **F. H. Boulton**.

Die Xylographie ist von den graphischen Künsten, welche zur Herstellung eines Buches gehören, die älteste und wichtigste; der Vorgänger derselben, der Metallhochschnitt, kam nicht dazu, der Bücherillustration zu dienen. Sie ist zugleich die wichtigste der illustrirenden Künste und wird voraussichtlich nie durch ein anderes Verfahren von ihrem Ehrenplatz verdrängt werden.

Der Einführung der neueren Holzschneidekunst und des ersten bedeutenden Ausübers derselben **Eb. Kretzschmar** wurde bereits (S. 58) eingehender gedacht. Wenn die Zahl der xylographischen Anstalten in Leipzig nicht so groß erscheint, wie Mancher vielleicht erwartet, so ist der Grund darin zu suchen, daß die großen Officinen fast alle über eigene Holzschneide-Ateliers verfügen. Hinzu kommen noch die Anstalten O. Spamers und der Expedition der Illustrirten Zeitung. Im Ganzen genommen werden wenige von den Holzschnitten, welche die zahlreichen Illustrationswerke Leipziger Verleger schmücken, außerhalb Leipzigs angefertigt.

Von den selbständigen Anstalten ist in erster Reihe als die älteste, zugleich als eine vortreffliche, die von **J. G. Flegel** zu erwähnen. Flegel's Bestrebungen sind stets auf Vollkommenheit in seiner Kunst gerichtet gewesen. Seine mikroskopischen, naturwissenschaftlichen und anatomischen Arbeiten sind nicht übertroffen und nur bei Betrachtung durch die Lupe ganz zu würdigen. Vorzüglich sind auch seine Nachbildungen von Radirungen nach Rembrandt. Viele seiner besten Arbeiten finden sich in den Verlagswerken Wilh. Engelmanns verstreut. Die Arbeiten von **Kaspar Oertel**, dem seit Kurzem die Stellung
eines Professors an der Akademie zu Leipzig zuertheilt wurde, bewegen

sich hauptsächlich in dem strengeren Stile, wie er in den Artikeln Alphons Dürrs vorkommt, für welche Oertel sehr viele vorzügliche Schnitte lieferte. A. Brend'amour & Co., eigentlich in Düsseldorf ansässig, haben in letzterer Zeit eine Filiale in Leipzig begründet; ihre Leistungen zeichnen sich durch eine brillante Technik aus, die nicht zu übertreffen ist. W. Aarland, E. H. H. Klitsch, J. F. W. Kochlitzer, A. H. F. Ergetmeyer, H. Käseberg, C. A. A. Naumann, A. G. Schlitte, A. E. Singer, C. Bothe, H. Günther, K. Henkel, J. A. Knobloch und andere verdienen Anerkennung für ihre Leistungen. Große Vortheile gewährt die Uebertragung der Photographie auf Holz. C. F. Steger, F. Thiele und H. F. Walther liefern vorzügliche Arbeiten in dieser Richtung.

Brend'amour & Co.

Andere Holzschneider

Die Zinkographie ist ein, von Vielen noch nicht genau gewürdigtes Verfahren neueren Datums, welches, neben einigen nicht zu beseitigenden Mängeln, große Vorzüge besitzt und namentlich außerordentlich Vieles zu dem Aufblühen des Landkartenhandels beigetragen hat. Terrain- und namentlich Schrift-Schnitt waren stets Klippen, an welchen die Herstellung von Landkarten in Holzschnitt scheiterte. Jetzt werden die Karten einfach vom Stein auf die Zinkplatte umgedruckt und alles, was nicht in dem Abdruck erscheinen soll, weggeätzt, so daß die Zeichnung wie beim Holzschnitt erhaben zurückbleibt und wie dieser sich auf der Buchdruckerpresse drucken läßt. Dieses in Verbindung mit den Leistungen der Maschinen für mehrere Farben haben eine Revolution in der Herstellung billiger Landkarten verursacht, die der Verbreitung nützlicher Kenntnisse höchst förderlich geworden ist. Ein eminenter Vorzug ist die Möglichkeit, ohne Zeitverlust und mit den geringsten Kosten auf rein mechanischem Wege Vergrößerungen oder Verkleinerungen vorhandener Zeichnungen oder andere Abdrücke zu liefern; so sind beispielsweise die Holzschnitte aus Schnorrs Bibel als Wandtafeln vergrößert worden. Die Zinkographie nimmt somit dem Holzschnitt eine Classe von Arbeiten ab, welche sie weit billiger und zum Theil besser ausführen kann als dieser, wird aber den Holzschnitt von seinem eigentlichen Gebiete nicht verdrängen. Eine sehr verbreitete Anwendung findet auch die Zinkographie zur Herstellung von Platten zu Büchereinbänden. Geübt wird diese Kunst in Leipzig von C. Schönert, Ed. Gabler, E. H. Boulton und A. Totz, der zugleich eine Druckerei für den Schwarz- und Buntdruck zinkographischer Arbeiten besitzt und sehr Beachtenswerthes liefert.

Zinkographie

2. Die Kupferstechkunst. Die Lithographie.
Die Photographie.

Die Kupfer-
stechkunst Die Kupferstechkunst hat in Leipzig nur einen Namen von bedeutendem Ruf zu den Seinigen zu zählen: Joh. Friedr. Bause, geboren am 6. Januar 1738 zu Halle, wo er sich zuerst habilitirte. Später siedelte er nach Leipzig über, wo er bis kurz vor seinem Tode, der in Weimar am 3. Januar 1814 erfolgte, sich aufhielt und als Professor der Kupferstechkunst wirkte. Bekannt ist er namentlich durch seine vielen meisterhaften Porträts. Auch Sichtling erwarb sich in dieser Richtung ein gutes Renommée. Für den Augenblick zeichnet sich Alfr. Krause als ein tüchtiger Künstler in verschiedenen Richtungen und namentlich als ein vortrefflicher Porträtstecher aus. O. Elser, Professor an der Akademie, lieferte früher in Rom sehr gute Stichelarbeiten, wendete sich jedoch später mehr der Malerei zu. Als der Stahlstich kurz vor 1840 bedeutend in Aufnahme kam, ließ sich eine förmliche Colonie englischer Stahlstecher hier nieder, doch hörte die Manie bald auf. Im Porträtfach leistet Ad. Neumann sehr Beachtenswerthes, auch A. Weger schaffte für Buchhändlerzwecke manches Gute. Für zweckmäßige Ausführung von Modebildern ist H. C. Brinckmann bekannt. Vorzügliche Drucke liefert die Kupferdruckerei von F. A. Brockhaus unter der Leitung Aug. Eichners. Th. Zehl ist als ein sehr gewissenhafter Drucker bekannt.

Die Litho-
graphie Die Lithographie hat in Leipzig nicht ganz mit der Typographie Schritt gehalten. Weder in der bereits hinter uns liegenden Periode, während welcher die Lithographie vorzugsweise als Vervielfältigungsmittel der Werke der Malerei oder dem Zwecke der Bücherillustration diente, noch zu einer späteren Zeit, als der Farbendruck alle andere Illustrations-Methoden zu überflügeln schien, hat dieser Zweig der graphischen Künste einen so hohen Platz eingenommen, wie man es wohl hätte erwarten können. Zwar erklärt sich dies unschwer durch das Fehlen von Galerien und bedeutenden Lehrinstituten; jedoch sehen wir Anstalten ersten Ranges, wie die von Just. Perthes für die Kartographie und von G. W. Seitz in Wandsbeck für den Farbendruck, in Städten von geringerer Bedeutung entstehen und gedeihen. Doch ist in jüngster Zeit ein Aufschwung eingetreten.

Die Chromographie war durch die 1844 begründete und noch Die Chromographie bestehende Firma J. G. Bach zuerst vertreten. Johann Gottlob graphie J. G. Bach Bach war ein in allen, damals geübten Zweigen von Senefelders Kunst höchst geschätzter Arbeiter. Eine seiner besten Leistungen aus dem Jahre 1842 zeigt uns das Straßburger Münster, ausgeführt nach von ihm selbst in Daguerreotypien stückweise aufgenommenen Ansichten in Gravirmanier. Aus jener Zeit stammt auch ein Farbendruck, die Moschee Gulab-Minar, welcher als vorzüglich bezeichnet werden muß, ebenso sprechen die für die Zeitschriften Wilh. Engelmanns gelieferten mikroskopisch-anatomischen Arbeiten sehr zu Gunsten der Anstalt, die im Mai 1851 in die Hände Ed. Störmers übergegangen war, der seinerseits sie am 1. Januar 1871 an Jul. Klinkhardt verkaufte. Die artistische Leitung führt seit 1866 Jul. Geißler. Störmer behielt sich den Verlag einiger größeren illustrirten Werke: Kretschmer und Rohrbach, „Die Trachten der Völker" und Kretschmer, „Deutsche Volkstrachten" vor, die er unter der Firma J. G. Bachs Verlag debitirt.

Ebenfalls eine ältere Firma ist Friedrich Kretschmer, jetzt Fr. Kretschmer Nachfolger Kretschmers Nachfolger. Der Begründer cultivirte namentlich die Anfertigung von Titeln zu Musikalien, zu der Zeit, wo es Mode ward, auch nicht den kleinsten Walzer zu drucken, ohne einen besonderen Aufwand auf den Titel zu verwenden. Jetzt liefert das Geschäft mittelst 2 Schnellpressen und 4 Handpressen gute Accidenzarbeiten, Illustrationen zu Jugendschriften u. dgl.

Meißner & Buch (Besitzer J. F. Meißner) nehmen unter den Meißner & Buch Firmen, welche sich mit dem Buntdruck für die Cartonagefabrikation, Luxuspapiere, Blumenkarten u. dgl. abgeben, den bedeutendsten Platz ein. Die vorzüglich eingerichtete, großartige Anstalt ist 1861 gegründet. Schon der imposante bunte Ziegelbau inmitten einer schönen Gartenanlage, sowie die großen gemalten Fenster des Treppenhauses weisen auf den polychromen Charakter des Geschäfts hin. Das Innere erfreut das Auge durch die höchst zweckmäßige Einrichtung und durch die durch das Ganze gehende bewundernswerthe Ordnung. Im Souterrain arbeiten 20 Prägpressen zum Theil größten Kalibers und trotz der schützenden Eisenreifen wird es Einem etwas unheimlich zu Muthe, wenn die schweren Kugeln der Balanciers dicht am Kopf vorbeischwirren. Die Parterre-Localitäten sind von den Comptoirs und dem Handlager, der erste und der zweite Stock von 60, zum Theil durch Dampf getriebenen Handpressen und 5 Schnellpressen eingenommen; auch die Zeichen-Ateliers haben hier ihren Platz. In dem obersten Stock befinden sich die Papierstuben. Das Lager von Steinen mit den Originalzeichnungen enthält mehr als 10,000 Stück. 225 Personen finden in der Anstalt Beschäftigung.

Mit Ausnahme des Hagelberg'schen Instituts in Berlin dürfte wohl keins in Deutschland das Meißner & Buch'sche hinter sich lassen. Der Absatz erstreckt sich nicht nur über Deutschland, Rußland, Skandinavien, Italien und Amerika, sondern die Fabrikation ist speciell für den englischen Markt eine bedeutende und auch der Absatz nach Frankreich, das für diese Fabrikation einen so bedeutenden Ruf hat, ist immer im Steigen. Sehr tüchtige Künstler geben ihre Arbeiten der Anstalt, die sogar nicht die Opfer scheut, um von sehr renommirten Künstlern Oelbilder zu erwerben, als Vorbilder für Cartonnage-Arbeiten, die gewöhnlich in 10 bis 14 Farben gedruckt werden. Bei diesem regen Fortschrittsgeist ist es angunehmen, daß die Anstalt eine immer höhere Bedeutung erreichen wird.

Wezel & Naumann

Auch andere Anstalten rühren sich tüchtig, voran Wezel & Naumann mit 4 Schnellpressen und 13 Handpressen nebst 16 Hülfsmaschinen, einen Personalbestand von circa 150 Köpfen beschäftigend. Sie arbeiten namentlich für den Export und liefern hübsche und preiswürdige Gegenstände.

Andere lithographische Anstalten

Die Firma Oskar Fürstenau (Conr. Dünkel und Mor. Geißler) beschäftigt 25 Arbeiter mit 1 Schnellpresse, 8 Handpressen und 4 Prägpressen. — Einen bedeutenden Umfang erreichte das Geschäft Eschebach & Schäfer (3 Schnellpressen, 15 Handpressen, 9 Prägpressen, 60 Personen). — C. W. Löhne (seit 1870) vereinigt Buchdruckerei und Lithographie. Eine Specialität des Geschäfts ist die Anfertigung von Visitenkarten, die nach verschiedenen Ländern Absatz finden. 1878 wurden 15 Millionen Stück angefertigt. Die Anstalt beschäftigt sich jetzt mit allen typographischen und lithographischen Arbeiten, sowie mit Anfertigung von Glacé- und Buntpapieren und disponirt über 3 Schnellpressen, 14 Handpressen und etwa 80 Arbeiter. — Grimme & Hempel (s. 1875) liefern namentlich Placate und Etiquetten jeder Art (1 Schnellpresse, 6 Handpressen). — A. Kathmann & Co. (s. 1862) fertigen mittelst 18 Handpressen namentlich Luxuspapiere. — Aug. Lührtz (s. 1864) Thätigkeit ist besonders auf Arbeiten in Kreidemanier und in Buntdruck, sowie auf die Herstellung großer Wandkarten gerichtet. — Mor. Prescher (s. 1854) mit 1 Schnellpresse und 8 Handpressen. — J. G. Fritzsche (2 Schnellpressen, 7 Handpressen). — Hermann Arnold (s. 1871), 6 Handpressen, stellen namentlich bunte Bilder und Etiquettes her. — E. A. Funke (1874) früher einer der tüchtigsten Mitarbeiter von J. G. Bach, leistet Hervorragendes in Kreide und Gravirmanier auf dem Gebiete naturwissenschaftlicher Darstellungen.

Daß eine Anzahl von Buchdruckereien auch lithographische Accidenz-Arbeiten liefern, wurde bereits erwähnt.

Die Notendruckerei mußte, nach dem, was über die Bedeutung *Die Noten-druckerei* des Musikalienhandels gesagt wurde, selbstverständlich eine große Ausdehnung nehmen.

C. G. Röder ist eine Notendruck-Anstalt, wie sie wohl nicht zum *C. G. Röder* zweitenmal gefunden wird. Der Begründer Carl Gottlieb Röder hat recht schlagend bewiesen, was ein Mann erreichen kann, wenn er seiner Wirksamkeit bestimmte Grenzen zu ziehen versteht, innerhalb dieser aber nach Vollkommenheit strebt.

Am 1. October 1846 eröffnete Röder sein Geschäft als Notenstecher mit einem Lehrling. 1847 kam eine Notendruckpresse dazu, und 1853 wurde eine lithographische Anstalt eingerichtet. Das Geschäft gedieh zusehends bei dem Grundsatze des Besitzers, nur tüchtige Arbeit zu liefern. Mit der Einführung der lithographischen Schnellpresse beschäftigte sich Röder fortwährend. 1860 gelang es ihm, die erste in Gang zu bringen; 1864 wurde der Dampfbetrieb eingerichtet. Das große in der Dörrienstraße aufgeführte Geschäftsgebäude erwies sich bald als zu klein, ein neues wurde dem Bibliographischen Institut gegenüber gebaut, und Leipzig ist um ein großartiges Geschäft reicher. Die Röder'sche Anstalt besitzt 25 Schnellpressen, 39 Handpressen, über 20 Hülfsmaschinen und beschäftigt ein Personal von nahezu 350 Köpfen. Eine der schönsten Leistungen des Notendruckes ist die, dem Kaiser Franz Joseph gewidmete Partitur von der Schlußapotheose der Kaiserouverture Wilh. Westmeyers. Der Stich der Diamantnoten und der Druck der 18 Blätter, deren gestochener Theil mit 22 Liniensystemen nebst dem Text den Raum von nur 7½ Zoll Höhe einnimmt, kann wohl als das Vollendetste gelten, was der Notenstich und -Druck geliefert hat. 1873 trat C. G. Röder das Geschäft an seine Schwiegersöhne, L. H. Wolff und M. Rentsch ab.

Die kartographischen Anstalten gewinnen in Leipzig immer *kartograph.* mehr und mehr Terrain. Der große wissenschaftliche und Schul- *Anstalten* verlag machten ihre Forderungen geltend, und wo solche gebieterisch auftreten, ist auch die Hülfe da. Leipzig hat vier Kartendruckinstitute, die in Verbindung mit anderen Geschäftszweigen stehen: **F. A. Brockhaus, Giesecke & Devrient, Bibliographisches Institut,**

9

Perlhagen & Klasing. Unter den selbständigen Anstalten ist namentlich H. Wagner & E. Debes zu nennen. Sie beschäftigt sich ausschließlich mit der Bearbeitung, dem Stich und dem Druck von geographischen Karten und Plänen für eigenen und fremden, namentlich den Bädeker'schen Verlag. Gegründet wurde das Geschäft in Darmstadt 1835 von Ed. Wagner, dem Vater des jetzigen Mitbesitzers H. Wagner; es beschäftigt 3 Schnellpressen und 6 Handpressen nebst verschiedenen Hülfsmaschinen und 40 Personen, darunter 16 Lithographen und 5 Zeichner. O. b. Bamsdorffs Kunstanstalt für lithographische Arbeiten befaßt sich ebenfalls vorzugsweise mit der Kartographie.

Die
Photographie   Die **Photographie** selbst liegt der graphischen Branche ferner, für welche der unveränderliche Lichtdruck eine größere Bedeutung hat. Als die Erfindung Daguerres 1839 die Welt in Staunen versetzt hatte, fand sie auch bald in Leipzig Eingang. Man beschränkte sich jedoch hauptsächlich auf die Daguerreotypie; die Papierphotographien konnten fast mehr als Erzeugnisse des Malerpinsels bezeichnet werden. Im Jahre 1859 wurden die ersten lebensgroßen Photographien von Manecke hergestellt, der auch im Jahre 1864 zuerst bei Magnesiumlicht photographirte. Später lieferte er die ersten Lichtdrucke und mikroskopischen Bilder. Für letztere Branche errichtete Professor Czermak mit vielen Kosten eine Anstalt; nach seinem Tode wurde sie von der Universität unter der Leitung Th. Honkels aufgenommen. Auch für die Zwecke der Sternwarte wird die Photographie häufig und mit Glück von Dr. L. Weinek angewendet.

Der Lichtdruck   Der unveränderliche Lichtdruck, die Photolithographie und Phototypie haben in Leipzig bis jetzt keinen bedeutenden Boden gewonnen. Der Verlag von den durch diese Verfahren hergestellten Werken gehört fast ausschließlich Berlin, Dresden, München, Nürnberg und Stuttgart an. In neuerer Zeit beschäftigen Fr. Graup, H. Drit, E. Bellach und namentlich A. Naumann, welcher das Recht der photographischen Aufnahme von Gegenständen in der Leipziger Kunstgewerbe-Ausstellung erworben hat, mehrere Pressen mit Lichtdruckarbeiten.

Von den Porträtphotographen sind unter andern zu nennen: C. Bellach, G. Brokesch, Oscar Krötsch (Delphotographien), W. Höffert, F. Manecke, Gebr. Kirbe, A. Naumann, B. Wehnert-Beckmann und E. A. Eulenstein.

3. Die Buchbinderei. Die Gravirkunst.

Wenn wir von den Leistungen der Buchbinderei sprechen wollen, Die Handarbeit so haben wir es mit den Erzeugnissen zweier ganz verschiedener Productionsweisen zu thun: mit der Handarbeit, welche den einzelnen Band herstellt, und mit der Massenfabrikation im Dienste der Verleger zur Herstellung ganzer Auflagen eines Buches in gleichförmiger Weise.

In der Handbuchbinderei hat Deutschland im Allgemeinen England und Frankreich nicht erreicht, ohne daß die Schuld jedoch auf die deutschen Buchbinder allein fällt, die oft im Auslande zu den renommirtesten Arbeitern gehören.

Sehr viel Schuld fällt auf das Publicum oder, wenn man lieber so will, auf die Vermögensverhältnisse des deutschen Publicums. Es giebt in Deutschland nicht die Classe der reichen Bibliophilen, die nicht allein darauf Werth legt, eine auserlesene Büchersammlung zu besitzen, sondern sie auch in einem auserlesenen Gewand haben will, ja oft das Gewand über den Inhalt setzt. Einbandpreise, wie sie tagtäglich in London und Paris bezahlt werden, gehören in Deutschland schon zu den Ausnahmen; von den eigentlichen bibliopegischen Schaustücken soll gar nicht gesprochen werden. Zwar steigt die Lust zum Kaufen, je mehr gute Arbeit geliefert wird, aber es fehlt doch der allgemeine Wohlstand, welcher durch seine größeren Ansprüche die gute Arbeit hervorruft und belohnt. Dies muß man festhalten, will man die deutsche Buchbinderei-Handarbeit gerecht beurtheilen.

Andererseits läßt sich nicht in Abrede stellen, daß manches von Mangelhaftigkeit der Arbeit Dem, was anläßlich der Bestrebungen der Firma Giesecke & Devrient oben gesagt wurde, leider auch für die Buchbinderei gilt. Die Gediegenheit und Accuratesse der Arbeit, die Festigkeit des Einbandes mit Geschmeidigkeit gepaart, die Tiefe und Schönheit des Falzes am Deckel, die Nettigkeit der gestichten Capitale u. s. w. finden sich immer noch nur als Ausnahmen bei den deutschen Arbeiten. Gleich der Einblick in den hohlen Rücken, den man sogar öfters nicht einmal mit einem weißen Bogen, sondern mit dem ersten besten Maculaturbogen überzieht, wirkt abschreckend. Selten giebt ein deutscher Buchbinder sich die Mühe, die Unebenheiten, die bei Halbfranzbänden durch das Ueberziehen des Rückens oder der Ecken mit Leder entstehen, durch Schaben und Schneiden zu egalisiren, so daß man oft glauben könnte, es mit einer Reliefkarte zu thun zu haben, auf welcher die Meeresküsten in allen

9*

möglichen Wellenlinien sich von der Meeresfläche abheben. An die
innere Seite des Deckels wird sehr selten etwas verwendet, während
in manchen englischen und französischen Einbänden gerade die feinste
Ornamentirung die inneren Seiten des Deckels schmückt.

Französische Arbeit   Die Franzosen haben einen wesentlichen Vorsprung in ihrer
Arbeitstheilung. Nicht nur, daß die verschiedenen Arten des Einbandes
selten in einer Officin zusammen geübt werden, es ist nicht einmal
üblich, alle zu einer Art von Einband gehörende Arbeiten in einer
Werkstelle zu vollbringen, sondern es giebt besondere Schnittvergolder,
Handvergolder, Marmorirer u. s. w., denen man die Specialarbeit
zuweist. In den einzelnen Officinen sind wieder die einzelnen Be-
schäftigungen gruppenweise vertheilt. Von zahlreichen Arbeitern, die
in ihrer Specialität Vorzügliches leisten, sind viele nicht im Stande, ein
Buch leidlich zu binden. Dieses System mag allerdings der allgemeinen
Ausbildung des einzelnen Individuums hinderlich sein, das Publicum
erhält jedoch durch dasselbe billigere und bessere Bände.

Englischer Einband   Der Engländer verwendet selten ein anderes Material, als feinstes
Kalbleder oder Saffian. Er bindet kein Buch in Leinwand.

Hiermit sind wir zu einem Hauptunterschied zwischen der deutschen
Buchbinderei und der englischen und französischen gekommen. Der
Leinwandeinband ist in Deutschland dominirend, während der Lein-
wandhülle dem Engländer eigentlich nur das ist, was in Deutschland
die Broschüre. Hier läßt nun der Verleger ganze Auflagen oder große
Partien binden und der Sortimentshändler vertreibt die Bücher
gebunden an das Publicum. In England überläßt der Verleger dem
Käufer die Bücher nach seinem Geschmack zu binden, will er dies nicht,
so gewährt die Leinwand-Cartonnage allenfalls genügenden Schutz.

Der Massen-einband   Durch Leipzigs Stellung als Centralpunkt hat sich diese Fabri-
lation besonders nach hier gezogen. Im Jahre 1840 sah es mit der
Buchbinderkunst in Leipzig noch sehr trübe aus. Schöne Handarbeit
wurde nicht verlangt und nicht geliefert. Die Musterfabrilation hatte
noch nicht Wurzel geschlagen und alle Bücher, die gebunden werden
sollten, selbst in einfache Leinwandbände, wanderten nach Berlin.
Das Blatt hat sich jedoch vollständig gewendet, Leipzig beherrscht jetzt
den Markt in der Buchbinderbranche vollständig und kein Zweig der
graphischen Gewerbe hat seit 1840 so außerordentliche Fortschritte
gemacht, wie die Buchbinderei. Nicht allein die in Leipzig gedruckten
Werke werden hier gebunden, sondern Leipzig arbeitet für ganz
Deutschland und verschiedene andere Länder. Einen mächtigen Vorschub hat das Großsortiment, welches auf Grund der Stellung Leipzigs

141

als Commissionsplatz hauptsächlich sich hier concentrirt, der Buchbinderei geleistet. Ersteres Geschäft ruht auf einer sehr gesunden Basis, denn es ist für den Verleger sowohl als für den Sortimenter und für das Publicum vortheilhaft und bequem. Der Großsortimenter kauft bedeutende Partien vom Verleger und genießt dadurch einen höheren Rabatt und Freiexemplare, die der Sortimenter beim Bezug einzelner Exemplare nicht hat. Der Einband, der massenhaft von einem und demselben Werk hergestellt wird, kommt dem Großsortimenter ebenfalls weit billiger zu stehen als bei einzelnen Bestellungen, und die Herstellung schöner und theurer Deckelplatten ist möglich, weil die Kosten, auf eine große Zahl von Exemplaren repartirt, sich für den einzelnen Band auf ein Minimum reduciren. Dadurch kauft der Sortimenter billiger, als er selbst herstellen lassen kann, und das Publicum gewinnt erst recht, weil es das Buch gleich ohne Mühe fertig bekomt und zwar zu einem Preise, für den es sich sonst ein solches absolut nicht verschaffen kann. Louis Zander in Leipzig ist der Urheber dieses Systems, Fr. Volckmar kaufte ihm diese Branche ab und konnte durch die großen ihm zu Gebote stehenden Mittel und weitverbreiteten Verbindungen das Geschäft zu einem kolossalen Umfang ausdehnen. Daß Concurreuten sich auch des Gedankens bemächtigten, ist begreiflich; sie entstanden nicht allein in Leipzig, sondern auch in Berlin und Wien.

In der Herstellung der Deckelplatten zu diesen Einbänden zeigen sich gegen früher ganz wesentliche Fortschritte. Die hoch erhabenen, hohlen Pressungen, die Medaillonporträts, Büsten, Statuen, kräftig genährten Engel, Leiern, Palmenzweige und Kreuze ꝛc. werden mehr und mehr durch künstlerisch behandelte Flachornamente ersetzt. Mit dem Golde wird weit maßvoller umgegangen, als sonst. Auch die hochrothen, die stechend grünen und blauen Farben der Leinwand haben den zarteren Farben viel Platz einräumen müssen. Mit bedeutendem Erfolg wird die weiße Pergament-Imitation verwendet. In Leipzig hatten die Bestrebungen der Buchbinder eine gute Stütze in dem Vorstande des hiesigen Kunstgewerbe-Museums, der dieser hierorts so wichtigen Branche mit besonderer Vorliebe zugethan ist. Man beschränkt sich aber nicht auf diese Anstalt, sondern holt sich oft mit großen Kosten die besten Vorlagen aus Wien, Dresden und Berlin.

Eine Gefahr hat diese Massenproduction: die Preise sind oft auf das äußerste Maaß gedrückt, so daß es manchmal dem Buchbinder schwer genug wird, auf das Falzen und Heften der Bücher die nöthige Sorgfalt zu verwenden. Nicht selten gewähren diese äußerlich prächtigen Bände einen traurigen Anblick, wenn sie gelesen, und damit vollständig aus dem Leim gegangen sind. Hier kann nur der Verleger helfen, indem er die Preise nicht auf das Aeußerste drückt und die Concurrenzjägerei hervorruft, dann aber auch nicht nur auf ein schönes Aeußere, sondern auch auf solide Arbeit seitens des Buchbinders hält.

Gravirkunst — Auf die Gravirkunst haben die Entwickelung der Buchdrucker-kunst und der so sehr in Aufnahme gekommene Masseneinband sehr eingewirkt und diese steht in Leipzig auf einer bedeutenden Stufe. Die Graviranstalten liefern die Platten nicht nur für die Werke, die hier gebunden werden, sondern auch in großer Zahl nach außen. Von den-selben sind namentlich Albert Schmidt, E. & H. Schüßler, A. Gerhold, Hugo Horn, W. Drlde, Max Niklas, J. S. Dupré, Th. Friebel zu erwähnen. Die größte Anstalt ist die von A. Ger-hold im Jahre 1866 begründete. Gerhold erwarb sich den Ruhm als einer der bedeutendsten Graveure Deutschlands. Er starb allgemein geachtet und beliebt im Kreise seiner Mitbürger im Jahre 1674. Das Geschäft wird von H. A. Girke und E. A. Lange fortgesetzt und beschäf-tigt 55 Arbeiter mit 12 Hülfsmaschinen. Im Jahre 1878 wurden für 20,000 Mark Rothguß verarbeitet. Die Platten und Messingschriften Gerholds haben eine außerordentlich große Verbreitung auch außerhalb Deutschlands.

Schulze & Niemann — Die Leinwand, welche benützt wird, ist in feineren Farben zum Theil noch englischen Ursprungs. In Deutschland existirt nur eine einzige Fabrik in Eutritzsch bei Leipzig, die von Schulze & Niemann. Dieselbe liefert namentlich in den dunkleren Farben ein ganz vorzüg-liches Fabrikat, hat jedoch nach Herabsetzung des Zolles von 6 Mark pro Stück auf fast Nichts einen schweren Stand den englischen Fabriken gegenüber.

Portefeuille-Fabrikation — Die Portefeuille-Fabrikation ist im ganzen genommen in Leipzig nicht von Belang, obwohl es für diese Branche als ein günstiger Platz bezeichnet werden muß.

Die Buchbinderei verlangt eine Menge von Hülfsmaschinen als: Präg-, Vergold- und Schwarzdruckpressen, Walzenwerke, Einsäge-, Rückenrundungs-, Abpreß-, Beschneide- und Deckenabreibemaschinen. Die Falzmaschinen haben so gut wie keinen Eingang gefunden, Heft-maschinen mittelst Draht erst in der allerletzten Zeit.

J. F. Bösenberg — Als einen der Vorangehenden in der Buchbinderkunst in Leipzig ist J. F. Bösenberg zu nennen. Nach einem längeren Aufenthalt in

Frankreich und anderen Ländern begann er 1842 die selbständige Thätigkeit mit einem Gehülfen und einem Lehrling. Dem Andrängen mehrerer
Verleger nachgebend, verschrieb er 1846 die erste eiserne Vergoldepresse
von John Sherwin in London; weitere folgten bald nach. 1855 erwarb
er das erste Walzwerk, 1861 wurde die erste eiserne Beschneidemaschine
aufgestellt, 1863 die erste englische Abpreßmaschine, die nach Deutschland
kam, und so ging es regelmäßig weiter. Jetzt verfügt die Anstalt über
circa 30 Maschinen und beschäftigt 60—70 Personen. Bösenberg hat
sich stets durch seine sorgfältigen Leistungen ausgezeichnet sowohl in
Hand- als in Maschinenarbeit. Er war der erste, der die sogenannten
Federschnitte und den Schwarzdruck einführte. Er ging ebenso voran
in Verwendung von Mädchen zum Heften, Falzen und Goldauftragen,
seinen Concurrenten einen Weg zeigend, der zur bedeutend billigeren
Herstellung mancher Arbeiten führte.

Einen besonderen Ruf behielt Bösenberg als Handvergolder und
viele von seiner Hand rührenden Arbeiten legen das beste Zeugniß von
seiner Tüchtigkeit und Strebsamkeit in dieser Richtung ab, die durch die
Maschinenarbeit sehr in den Hintergrund gedrängt wird. Nachdem er
sich zur Ruhe gesetzt, führt der Sohn G. W. Bösenberg das Geschäft
ganz im Sinne des Vaters fort und liefert wie dieser auch sehr gute
Handarbeiten. Die meisten Massenarbeiten für das Bibliographische
Institut werden von Bösenberg angefertigt.

Heinrich Sperling war der erste, der in Leipzig und wohl überhaupt　H. Sperling
in Deutschland den Dampfbetrieb für die Buchbinderei einführte und
somit die Massenproduction ermöglichte, zugleich richtete er sein Geschäft
nach streng kaufmännischen Grundsätzen ein. Sperling eröffnete sein
Geschäft am 23. April 1846. Nachdem die nach und nach bezogenen
Localitäten sich ungenügend erwiesen, baute er in Reudnitz in der
Eilenburgerstraße eine neue Werkstätte, in welcher jetzt 130—150 Per-
sonen arbeiten, und 45 verschiedene Hülfsmaschinen verwendet werden.
Das Haus hat seine eigene, nach Professor Hirzels System angelegte
Gasanstalt. Eine Institution verdient Erwähnung, nämlich eine
Altersversorgung für das Arbeitspersonal, welche unter vortheilhaften
Bedingungen mit der Badischen Versorgungsanstalt in Karlsruhe
ein Abkommen getroffen hat, und der Sperling, außer einem festen
Zuschuß, den Ertrag eines Bierschankes, welcher Ertrag in einem Jahre
über 600 Mark einbrachte, zuweist.

Heinrich Sperling starb 1876. Die jetzigen Inhaber des Geschäfts
sind: der Sohn Heinrich Sperling und dessen Schwager Eugen

Grimm. Von dem Umfange, welchen die größeren Buchbindereien Leipzigs erreicht haben, sprechen folgende Ziffern. Im Jahre 1878 wurden im Sperling'schen Geschäft verbraucht: Gepreßtes Calico für 20,000 Mark, Leder für 40,000 Mark, geschlagenes Gold für 40,000 Mark. Für Löhne wurden verausgabt über 100,000 Mark. Von Pappen kamen 3000 Centner zur Verwendung. An Arbeiten wurden abgeliefert 340,000 Bände, 90,000 Stück Buchdeckel und 200,000 Broschüren. Gefalzt wurden 17 1/2 Millionen Bogen, geheftet 13 1/2 Millionen.

D. N. Herzog. J. N. Herzog etablirte sich 1852 und bezog 1869 das eigene Grundstück. Er war, im Verein mit dem verstorbenen Graveur Gerhold derjenige, der frischeres Leben in die Decoration der Einbände brachte, hielt zugleich auf solide Ausführung der Arbeit, was in den 60er Jahren noch seltener war als jetzt. Das Geschäft beschäftigt circa 130 Arbeiter und besitzt 52 Hülfsmaschinen, von welchen 22 mit Dampf betrieben werden. Manche darunter sind nach den eigenen Angaben Herzogs construirt oder verbessert. In der letzten Zeit arbeiten zwei aus Amerika eingeführte Heftmaschinen. Die Arbeiten Herzogs sind sehr zu loben und sehr mannigfaltig, sowohl Prachtbände, Albums und dgl., als auch Masseneinbände. Für Blattgold, Pappe, Calico und Leder werden fast ähnliche Summen wie in der Sperling'schen Buchbinderei ausgegeben. Welche Dimensionen selbst die kleinen Ausgaben in solchen Geschäften annehmen, läßt sich daraus beurtheilen, daß die jährliche Ausgabe für Zwirn 1500 Mark beträgt und ebensoviel für Capital- und Zeichenbänder und daß jährlich 4—5000 Kilo Leim verbraucht werden.

G. Fritzsche. Gustav Fritzsche gehört zu den jüngeren Firmen, nimmt aber bereits einen Platz unter den ersten ein. Er begann 1864 sehr klein und mit einem Arbeiter. Der Anfang war ein schwerer und an Entbehrungen reicher. Eine Erleichterung gewährte die Verbindung mit Fr. Volckmars Grossortiment, indem sie ihm die Mittel zur freieren Bewegung verschaffte. Fritzsches Bemühungen, das möglichst Gute billig zu liefern, fanden solche Anerkennung, daß er bereits 1872 im Stande war, ein eigenes Haus zu erwerben. Nach sechs Jahren schon zeigte sich dieses als vollständig unzulänglich für das sich stets vergrößernde Geschäft. Im Jahre 1879 wurde nun ein neues, elegantes und äußerst zweckmäßig eingerichtetes Geschäftshaus bezogen, welches genügenden Raum für einen Betrieb mit 150 Personen bietet. Gegen 30 Hülfsmaschinen sind vorhanden, darunter eine englische Dampf-

Präg- und Vergoldemaschine, welche stündlich 600 Deckel liefert und ein sehr sinnreich construirter Caroussel-Completirtisch.

An Umfang übertreffen einige Buchbindereien die von Fritzsche, keine aber an Güte, Solidität und reinem Geschmack der Arbeiten. Fritzsche, ein Mann von aufgeweckter Natur und stets weiter strebend, ist in mancher Beziehung tonangebend gewesen, läßt sich aber dabei von Kunstverständigen gern belehren. Er, im Verein mit Jul. Hager, hat das Verdienst, die solide Bindung des Halbfranzbandes nach englischer und französischer Manier in Deutschland wieder in Aufnahme gebracht zu haben. Das schöne Brocat-Vorsatzpapier führte er wieder ein und ließ stilvolle Muster anfertigen. Auch theoretisch hat er für seine Kunst, durch Herausgabe einer Sammlung von Büchereinbänden in Chromolithographie, zu wirken gesucht.

Sehr sorgfältige Arbeiten liefern ferner: Ferd. Halle, Julius Hager (Joh. Maul). Vornehmlich auf Binden ganzer Auflagen sind eingerichtet Groehe & Barthel, Hübel & Denck, J. F. Tegel. Namentlich für das Volckmar'sche Sortiment arbeiten: Th. Unaur, H. Föste, Gustav Kappelmann und A. Köllner, dessen Specialität Schulbücher sind. W. Schäffel versorgt hauptsächlich das Staackmann'sche Großsortiment.

Verschiedene Buchbindereien

„Ueberaus reich und reizend", so sagt ein eben erschienener Ausstellungsbericht eines gewiegten Kenners Dr. J. Stockbauer, „stellen sich die Büchereinbände dar. Fast alle Aussteller haben Arbeiten geliefert, die den schlagendsten Beweis geben, daß eine Veredelung der Einbände weit über Versuche, weit über einzelne Proben hinaus ist, daß schöne, zweckentsprechende und charaktervolle Einbände bereits in weitesten Kreisen sich Freunde und Bewunderer erworben haben und mehr und mehr an Bedeutung und Ausdehnung gewinnen. Schon die Ausstellung der Druckereien und Verlagshandlungen giebt davon Zeugniß, die meisten der ausgestellten Werke präsentiren sich in einem äußeren Kleide, einem Einbande, der im Verhältniß und in Beziehung zu dem Inhalte und der typographischen Ausstattung ist. Auch durch diese äußerst geschmackvollen und schönen Einbände documentirt sich Leipzig allseitig als die Metropole des „Buchgewerbes" in den allen Anforderungen, welche man an den Büchermarkt stellt, auch in der formentsprechendsten, schönsten und solidesten Weise genügt werden."

Resultate

4. Das Papiergeschäft.

Ferd. Flinsch, geboren am 19. Aug. 1792, ist als der Begründer des modernen Papierhandels in Leipzig zu betrachten. Am 20. April 1829 eröffnete er im Verein mit dem jüngsten Bruder Heinrich Friedrich Gottlob ein Geschäft im Paulinum, wo die Handlung noch heute ihr Local hat. Später trat der zweite Bruder Carl August hinzu. Weitere Lager wurden in Annaberg, Bayreuth, Hof, Straßburg, Offenbach, später in Frankfurt am Main errichtet. Es war dies für den Verlagshandel eine große Erleichterung, da man nun im Stande war, sofort eine Auswahl treffen zu können, und manches bedeutende Unternehmen wurde ausgeführt, das vielleicht unterblieben wäre, wenn die Beschaffung des Papieres mit den früheren Schwierigkeiten verbunden gewesen wäre.

Bis jetzt hatte man sich nur des Handpapiers bedient. Flinsch wendete seine Aufmerksamkeit der neuen Maschinenfabrikation zu, die sein Bruder Heinrich in der berühmten Fabrik von Montgolfier in Annonai näher kennen gelernt hatte. Er kaufte von seinem Vetter und treuen Freunde Keferstein eine diesem gehörende Papiermühle in Penig, die über eine vorzügliche Wasserkraft disponirte, und bestellte eine Papiermaschine bei Bryan, Donkin & Co. in London. Nach verschiedenen mißlungenen Versuchen gelang die Fabrikation schließlich so gut, daß sie allen Anforderungen genügte. Im Jahre 1842 wurde eine zweite Maschine in Blankenberg, dem Geburtsorte Flinsch's, wo die väterliche Papiermühle stand, errichtet, während Heinrich Flinsch, der dem Frankfurter Geschäft vorstand, die Papierfabrik von Joh. Bischof in Freiburg im Breisgau kaufte. Am 11. Nov. 1849 verschied Ferd. Flinsch im Besitz der höchsten Achtung und Liebe seiner Mitbürger, Geschäftsfreunde und der ihm Näherstehenden. Nach seinem Tode ging das Geschäft auf seine drei Söhne, Gustav († 1875), Heinrich und Alexander, sowie auf den Bruder Carl über. Letzterer zog sich 1862 zurück. 1863 wurde ein Filialgeschäft in Berlin errichtet. Im Jahre 1873 ging die Peniger Fabrik in den Besitz einer Actiengesellschaft über, welche „Patentpapierfabrik in Penig" firmirt.

Neben Ferd. Flinsch war lange Zeit die Firma Sieler & Vogel die einzige von Bedeutung in Leipzig. Sie wurde 1825 von Ferd. Sieler und J. C. Vogel begründet. Der erstgenannte starb 1842.

Im Jahre 1849 wurde Adolf Schröder Theilhaber und seit 1855 alleiniger Besitzer. 1862 begründete er eine eigene Fabrik in Golzern bei Grimma, welche jetzt circa 200 Personen beschäftigt und jährlich circa 1,100,000 Kilo Papier und zwar vorzugsweise feinere Druck-, Kupferdruck-, Schreib- und Umschlagspapiere liefert. Seit dem Tode Ad. Schröders setzen die Söhne Max und Martin Schröder das Geschäft fort.

Wenn auch die Zeit vorbei ist, wo die Firmen Flinsch und Sieler & Vogel den Buchhandel in Leipzig so gut wie allein versahen, so bleiben die Lager dieser Firmen doch die bedeutendsten hier am Platze und sie haben noch heute die feste Fühlung mit dem Leipziger Buchhandel. Von anderen hiesigen Firmen, welche namentlich mit dem Verlagshandel arbeiten, sind zu nennen H. H. Ullstein und B. Siegismund, der unter anderen die berühmten geschöpften Papiere von van Gelder Zoonen in Amsterdam führt. Ein bedeutendes Geschäft wird jetzt von den verschiedenen Fabriken direct oder durch Agenten gemacht und zwar nicht allein von denen in nächster Nähe, sondern auch von entlegenen, z. B. in Schlesien und Elsaß. Der Umfang des Papierhandels entzieht sich der Berechnung und betrifft zumeist die besseren Sorten Druckpapiers für den Bücherverlag, da Leipzigs Zeitungs- und Accidenzdruckerei, wie mehrfach erwähnt wurde, nicht wie in Berlin den Ausschlag giebt.

Die Papier-Industrie ist in Leipzig von keiner sehr großen Bedeutung. Eine Ausnahme bieten jedoch die Fabriken von Gustav MajorN und F. HaraziN, welche namentlich durch ihre matt gestrichenen Kreidepapiere für Chromodruck bekannt sind. Die großartige Fabrik von Papierwäsche von Mey & Edlich in Plagwitz gehört weniger in den hier behandelten Kreis.

Für die Fabrikation von Geschäftsbüchern begründete Oscar Sperling 1875 sein Geschäft, das jetzt mit vier Schnellpressen und sechszehn anderen Maschinen arbeitet, darunter vier große Cylinder-Liniirmaschinen. Die Fabrik hat zwei Specialitäten: die Fabrikation von Copirbüchern, von welchen in dem letzten Jahre circa 45,000 Stück, unter einem Papierverbrauch von gegen 15,000 Ries, geliefert wurden, dann auch die Herstellung copirfähiger Drucksachen, die namentlich da von Bedeutung sind, wo der gedruckte Text zusammen mit der hand-schriftlichen Ausfüllung copirt werden soll. In ähnlicher Weise arbeitet Paul Hungar; eine Specialität dieser Firma ist die Anfertigung von Büchern für landwirthschaftliches Rechnungswesen.

5. Die Maschinen- und Utensilien-Fabrikation.

Maschinen-
Fabrikation

Zum Schluß sei noch mit einigen Worten der Anstalten gedacht, welche für die graphischen Gewerbe das Material an Maschinen und Utensilien liefern.

Wenn Leipzig auch im Allgemeinen kein Hauptort für Maschinen-Fabrikation ist, so war es doch fast selbstverständlich, daß der große Bedarf und die centrale Bedeutung des Platzes für die graphischen Gewerbe nach und nach Maschinenfabrikanten hierorts veranlassen würden, der Fabrikation von Maschinen für Buchdrucker, Lithographen und Buchbinder ihre Aufmerksamkeit zu widmen.

Am längsten ließ die Fabrikation von Schnellpressen auf sich warten. Leipzigs Buchdruckereien sind noch heute zum großen Theil der ersten deutschen renommirten Schnellpressen-Fabrik von König & Bauer in Kloster Oberzell treu und tributpflichtig. Erst spät gelang es anderen Fabriken, namentlich der Maschinen-Fabrik „Augsburg", sich in Leipzig Eingang zu verschaffen und neben König & Bauer den Platz zu behaupten. Rascher ging es mit den lithographischen Schnellpressen, deren Fabrikation in Leipzig eine große Ausdehnung erreicht hat.

Unter den Maschinenwerkstätten sind zu nennen:

Ph.
Swiderski

Ph. Swiderski. Die Fabrik wurde 1858 gegründet und 1867 von dem jetzigen Besitzer übernommen. Damals arbeitete sie mit 11 Personen, jetzt mit 120. Zwei Dampfmaschinen setzen 64 Drehbänke, Hobel-, Stoß-, Frais- und Bohrmaschinen in Thätigkeit. Für Steindruck werden Maschinen seit 1867 fabricirt, für Buchdruck seit 1874, daneben Hülfsmaschinen aller Art und namentlich die für den kleinen Betrieb so zweckmäßigen, transportablen Dampfmaschinen. Geliefert wurden 160 lithographische und 155 typographische Schnellpressen. Bekannt sind die von Swiderski den englischen nachgebildeten Buchdruckmaschinen „Lipsia", welche einen leichten Gang besitzen, billig sind und einen Punktirer überflüssig machen.

Schmiers,
Werner &
Stein

Die Fabrik von Schmiers, Werner & Stein baut namentlich gut renommirte lithographische Schnellpressen. Gießmaschinen liefert besonders Richard Krähnau seit 1861 in anerkannter Güte. Auch die Erzeugnisse von Otto Sturm finden Anerkennung.

Als die Buchbinderei so kräftig wuchs, hatte sie manche Hülfsmaschinen nöthig, die zuerst aus England bezogen wurden. Den deutschen Fabrikanten gelang es aber bald, sich der Branche zu bemächtigen und, von den Erfahrungen der Buchbinder unterstützt,

Maschinen zu bauen, die nicht allein den deutschen Markt beherrschen, sondern auch sogar nach England und Amerika ausgeführt werden. Unter den Fabriken von Buchbinderbedürfnissen hat Aug. Fomm einen bedeutenden Ruf als Specialist. Seine Anstalt wurde 1862 errichtet und arbeitet mit 40—50 Personen und 26 Hülfsmaschinen. Fomm hat den Lockungen widerstanden, billige und weniger gute Maschinen zu liefern und widmet der Fabrikation fortwährend die größte Sorgfalt. Auch werden immer Verbesserungen eingeführt, namentlich in Betreff der Construction der Papierschneidemaschinen, der Papierscheeren, der Gold- und Hochdruckpressen und Kantenabschräge-Maschinen. Die blanken Theile werden alle vernickelt. — Jak. C. Fomm ist eine kleinere, aber ebenfalls solid arbeitende Fabrik.

Die Firma Karl Krause besteht seit 1855 und beschränkt sich ausschließlich auf die Fabrikation von Maschinen für Buchbinder, Steindrucker und Buchdrucker. Krauses Papierschneidemaschinen, Satinirwerke, Glättpressen, Buch- und Steindruckpressen sind bestens bekannt auf Grund der Solidität, Accuratesse und Zweckmäßigkeit. Das neueste Erzeugniß ist ein Kalander mit zwei feinpolirten Hartgußwalzen und einer Papierwalze. Die außerordentlich praktisch eingerichtete Fabrik beschäftigt 200 Arbeiter mit 70 Werkzeugmaschinen. Der Absatz der K. Krause'schen und der A. Fomm'schen Maschinen erstreckt sich auf alle europäischen Länder.

Mehrere Firmen befassen sich außer mit der Fabrikation der Maschinen mit der Anfertigung von, oder dem Handel mit den vielen für die graphischen Zweige nothwendigen Utensilien. Es wurden bereits I. G. Schelter & Giesecke, Alex. Waldow und Fischer & Wittig genannt. Von Bedeutung ist ebenfalls die von A. Hogenforst sehr praktisch angelegte Maschinenfabrik; besonders gelobt werden ihre Schneide-Maschinen und Perforir- und Glättpressen. Hogenforst vertritt zugleich die Maschinenfabrik von König & Bauer und die Farbenfabrik der Gebr. Jänecke & Friedr. Schneemann in Hannover.

An Farbenfabriken besitzt Leipzig die sehr gut renommirte von Frey & Sening, gegründet 1870 von Dr. J. H. Frey und G. O. Sening; dieses noch junge Etablissement hat es verstanden, für ihre Illustrationsfarbe in Leipzig das Terrain zu gewinnen. Sie fabricirt auch bunte Teigfarben, die vermöge ihrer eigenthümlichen Präparation sich jahrelang geschmeidig erhalten, und liefert auch für die Rotationsmaschine entsprechende Farbe. E. Berger & Co., früher Harbegen, fabriciren namentlich Zeitungsfarbe.

Ein Blick in die Zukunft.

Ein Blick in die Zukunft.

ie es in einem wohlgeordneten Hause, wo Mann und Frau einig für das Gedeihen desselben zusammenwirken, schwer sein mag, zu entscheiden, wer am meisten zu dem glücklichen Zustande beiträgt, der emsig schaffende und erwerbende Mann oder die unermüdlich pflegende und sorgsam erhaltende Gattin, so dürfte es, wenn der Blick auf das blühende Hauswesen zurückfällt, welches während eines Zeitraumes von vier Jahrhunderten durch getreuliches Zusammenwirken des Buchhandels und der Typographie in Leipzig begründet und befestigt wurde, manchmal nicht leicht sein, die Frage zu beantworten: „Welcher der beiden Factoren hat am meisten dazu beigetragen?"

Sie gehörten eben beide dazu. Oft waren es intelligente Verleger, welche durch ihren Unternehmungsgeist die Buchdrucker zu den größten Anstrengungen mit fortrissen und technische Institute hervorriefen, die im Stande waren, ihren Ansprüchen zu genügen; oft waren es wieder gleich intelligente Buchdrucker, die den Verlegern zuvorkamen und durch ihre Leistungsfähigkeit jene anfeuerten, Unternehmungen anzufangen und durchzusetzen, die sonst unterblieben wären.

Als glückliches Resultat des Zusammenwirkens — und hierauf kommt es ja hauptsächlich an — erblicken wir ein wohlgeordnetes, ja reiches Haus, nicht nur eine liebe Heimath für die nächsten An-

10

gehörigen, sondern ein Haus, in welches auch der Fremde gern ein-
kehrt, von dem er sagt: „Hier ist gut weilen".

Ja, treues und anhaltendes, allmälig die Früchte bringendes
Zusammenarbeiten, nicht ein momentanes Gründer-Aufflackern oder
Glück im Spiel ist es, das Leipzig zum Vorort des Buchhandels
und der Typographie gemacht hat. Beide sind hier nicht als Treibhaus-
pflanzen über Nacht schnell aufgeschossen, um eben so schnell zu verblühen.
Die Regierung hat nicht nöthig gehabt, in Leipzig eine kostspielige
Staatsdruckerei ins Leben zu rufen, sie hat nicht einmal immer
(wenn auch in den Ausnahmefällen nur dem äußeren Druck, nicht
dem eigenen Triebe nachgebend) dem Grundsatz des ruhig Gewähren-
lassens gehuldigt. Auch die Geldmächte Leipzigs waren nicht wie
in Stuttgart dem Buchhandel zugethan; im Gegentheil, es ist nicht
gar so lange her, daß ein Buchhändler in ihren Augen nicht als
einem Waarenhändler ebenbürtig galt. Was Leipzigs Buchhandel
und Buchdruckerei geworden, sind sie hauptsächlich nur durch sich
selbst geworden.

Mit einiger Zuversicht kann man deshalb an die öfters aufge-
worfene Frage herantreten: „Hat Leipzig nicht schon den Höhepunkt
als bibliopolisch-typographischer Vorort erreicht, und ist nicht die
Gefahr eines, wenn auch noch kaum bemerkbaren Hinabsteigens vorhanden?"

Welches sind wohl die Gefahren, die drohen könnten?

Die Buchhändlermesse, als Waarenmesse, hat schon mit dem Aufhören des Tauschhandels und der Einführung der Novitätensendungen
ihre Endschaft erreicht. Die sogenannte Messe ist bekanntlich nur ein
Abrechnungstermin und eine Gelegenheit zu persönlichem Zusammen-
treffen der Geschäftsfreunde geworden. Müßte Leipzigs Bedeutung
mit dem Aufhören der Messe sinken, so wäre diese längst dahin. Ein
Centralpunkt für den buchhändlerischen Verkehr ist aber heute eben so
nothwendig wie früher, mag dieser nun Leipzig heißen oder einen
anderen Namen tragen. Eisenbahnen und Posten haben bewundernswerthe Erleichterungen geschaffen, diese können jedoch nie die erforderliche Höhe erreichen, um den directen Verkehr zwischen Verleger und
Sortimentshändler oder gar, unter Umgehung des letzteren, zwischen
Verleger und Publicum zu monopolisiren. Darauf zielende Pläne
werden von Jedem, der Gelegenheit gehabt hat, das Wesen des Commissionsgeschäfts in der Nähe zu sehen, als Theorie erkannt werden,

und selbst bei allen gebotenen materiellen Vortheilen dürften sogar die eifrigsten Monopol = Verehrer doch wohl Bedenken tragen, ein, die höchsten Gefahren bringendes Danaergeschenk einer Monopolisirung des literarischen Verkehrs anzunehmen.

Braucht aber der Buchhandel einen Centralplatz, warum sollte denn Leipzig aufhören, dieser zu sein? Zwar haben die, fast jeden Abstand auf= hebenden Eisenbahnen zur Folge gehabt, daß es nicht mehr so wichtig ist, wie es früher war, ob ein solcher Centralplatz auch im Centrum des Reiches liegt, aber die Frage entsteht doch, welcher Platz würde als Centralpunkt solche Vortheile bieten, daß der Buchhandel derjenigen Stadt den Rücken zukehren sollte, in der es ihm so lange wohlgefallen hat, an die er durch Grundbesitz und zweckmäßige Institutionen ge= knüpft ist?

Die einheitliche Reichsgesetzgebung über Preß= und literarisches Eigenthums = Recht macht es einer einzelnen der deutschen Regierungen unmöglich, durch liberale Bestimmungen und milde Praxis die Inter= essen der Presse und des Buchhandels in höherem Maaße zu schützen als es eine andere thut. Besondere Gründe können also in dieser Hinsicht allerdings jetzt nicht für Leipzig sprechen, aber eben so wenig für irgend eine andere Stadt, denn die Gründe, die zur Zeit, als der Buchhandel nach Leipzig übersiedelte, für eine Aenderung des Central= platzes geltend gemacht wurden, sind eben hinfällig geworden.

„Welche Gefahren könnten also drohen?" — Nur die, welche Leipzig sich selbst bereiten würde, wenn die Eigenschaften, welche ihm sein Gewicht verschafft haben, in die gegentheiligen umschlügen und es sich eine Vernachlässigung der geschäftlichen und Ehrenpflichten, welche es als Commissionsplatz auf sich genommen hat, zu Schulden kommen ließe.

„Liegen nun die Verhältnisse so, daß ein solcher Umschlag denkbar wäre?" — Ein Blick auf die Vergangenheit und die Gegenwart wird Beruhigung für die Zukunft geben.

Angenommen jedoch, daß selbst alle in Bezug auf Commissions= und Abrechnungswesen getroffenen Institutionen sich mit Leichtigkeit nach einer andern Stadt verpflanzen ließen, so besteht doch noch ein Haupt= moment für Leipzigs Verbleiben als Vorort: die schwerwiegende quan= titative und qualitative Bedeutung seines Verlages und seine graphischen Etablissements.

10*

Faßt man die Ergebnisse der Statistik des Buchhandels und der graphischen Gewerbe in Leipzig in eine Zahl zusammen, so ergiebt sich, daß weit über 10,000 Menschen im Buchhandel oder für denselben rastlos arbeiten. Die Zahl der Personen und die Bedeutung der Druckkräfte wächst fortwährend sowohl aus sich selbst heraus als auch durch die Attractionskraft, welche immer neuen Zuwachs von Außen herzuführt.

Ein Vergleich hinsichtlich der quantitativen Bedeutung der Production läßt sich nur mit der Reichshauptstadt anstellen. Ein solcher ergiebt, daß letztere mit einer größeren Anzahl von Setzern arbeitet als Leipzig. Ziehen wir jedoch die ausschließlich für die Tagespresse, die in Berlin eine höchst bedeutende, in Leipzig eine sehr mäßige ist, Arbeitenden beiderseits ab, ebenso die Zahl der für das Accidenzfach Beschäftigten, welches in der Millionstadt und dem Sitz der Regierung mit ihren vielen Organen begreiflicherweise eine ganz andere Bedeutung als in Leipzig haben muß, so wird sich ergeben, daß die Kräfte, welche für den eigentlichen Bücherverlag in Leipzig wirken, bei weitem größer sind, als die für den ähnlichen Zweck in Berlin thätigen. Von den Gesammterscheinungen des deutschen Buchhandels kommt im Durchschnitt, der Zahl nach, der sechste Theil auf Leipzig, der achte auf Berlin. Noch anders stellt sich jedoch das Verhältniß, wenn die Erscheinungen nicht nur nach Bänden oder Heften gezählt, sondern nach ihrem Umfang und ihrem Gewicht für den buchhändlerischen Verkehr beurtheilt werden. In der politisch und von den allgemeinen Interessen des Augenblicks so lebhaft bewegten Hauptstadt spielt die Broschüre kleineren Umfanges selbstverständlich eine wichtigere Rolle als in Leipzig. Auch die Production der wenig umfangreichen Schriften für Schulzwecke ist eine weit lebhaftere in Berlin, schließlich noch die, nach zahlreichen Heften zählende Volks-Unterhaltungsliteratur. Es fehlen in der Berliner Production jedoch im ganzen genommen die internationalen und encyklopädischen Unternehmungen, wie die umfangreichen Collectionen von Brockhaus, Tauchnitz, Meyer und Teubner, die großen illustrirten Zeitschriften Webers, Keils, Velhagen und Klasings (die Berliner Unternehmungen: der „Bazar“, das „Modeblatt“, die „Frauenzeitung“, die „Modenwelt“ werden in Leipzig hergestellt), sowie der mit Holzschnitten reich ausgestattete illustrirte Verlag Dürrs, Seemanns, Amelangs, Brandstetters, Spamers und mehrerer anderer Firmen. Dagegen behauptet Berlin vollständig den Vorrang in dem architektonischen, technischen, landwirthschaftlichen, kunstgewerblichen, militärischen und in dem eigentlichen Kunst-Verlag.

Zugegeben, daß Leipzig immer noch sein Uebergewicht in der Quantität der typographischen Leistungen zeigt, wie steht es aber mit der Qualität dieser Leistungen? Hat Leipzig auch in dieser Beziehung seinen Ruhm zu wahren gewußt?

Bei einem Vergleich nach der Qualität kommt außer Berlin namentlich Stuttgart in Betracht; Wien kann bei dieser, wie bei der Quantitätsfrage, an diesem Orte trotz aller vortrefflichen Leistungen außer Berechnung gelassen werden, denn wenn auch der Deutsche Buchhandel nach der politischen Trennung nicht aufhören wird, Oesterreich und Deutschland als ein literarisches Gebiet zu betrachten, so würde wohl Niemand an eine Verlegung des Schwerpunktes des Buchhandels und der graphischen Production Deutschlands nach Wien denken.

Es ist uns so mehr geboten, der oben aufgeworfenen Frage nicht aus dem Wege zu gehen, als in der Presse öfters behauptet wird, Leipzig sei bereits als Druckstadt, wenn nicht der Quantität, so doch der Qualität der Leistungen nach, von Stuttgart überflügelt.

Bei einer vergleichenden Beurtheilung ist zuerst zu bedenken, daß Leipzig in den dreißiger Jahren so rasche Fortschritte gemacht hatte, daß es beim vierten Jubelfeste den anderen Städten um ein Beträchtliches vorausgeeilt war. Seit jener Zeit ist erfreulicherweise das Vorwärtsstreben ein allgemeines geworden. Selbst in mancher kleinen Stadt entstanden Druckanstalten, die als vorzüglich bezeichnet werden müssen. Vor allem aber hat in Stuttgart eine, namentlich auf dem Gebiete der illustrirten Literatur rege Verlagsthätigkeit, von dem Capital und den vorzüglichen Kunst-Anstalten unterstützt, die Buchdruckerei mächtig vorwärts getrieben, und Stuttgart liefert jetzt im illustrirten Druck vortreffliche Arbeiten.

Je mehr man hier und überall nach Vervollkommnung strebte, um so kleiner mußten nach und nach die Abstände werden, welche die Leistungen Leipzigs von denen der anderen Städte bisher getrennt hatten, denn, ist erst das Gute erreicht, so kann das Vorwärtsgehen nicht mit so bemerkbaren Schritten geschehen als vorher. Die Annahme hie und da, als stagnire Leipzig, ist deshalb wohl hauptsächlich darauf zurückzuführen, daß auch die anderen Städte sich rüstig vorwärtsbewegt haben, wodurch es den Anschein gewinnt, als stände Leipzig still.

Aus der vortrefflichen Ausführung einer Anzahl illustrirter Werke, die in Leipzig nicht besser geliefert werden können, schließen zu wollen, daß Stuttgart als Druckplatz Leipzig überflügelt habe, wäre ebenso

unrichtig, als wollte man behaupten, das Stuttgarter Orchester sei besser
als das Leipziger, wenn ersteres einige Virtuosen auf irgend einem Instrumente besitzt, die man in dem Leipziger vielleicht nicht aufweisen kann.
Wie jedoch das Leipziger Orchester gerade durch die Totalität seiner
Leistungen und nicht durch die Virtuosität einzelner seiner Mitglieder
seinen Weltruf erworben hat und erhält, so behauptet, beurtheilt man
die Leistungen des Leipziger typographischen Orchesters in seiner Ge-
sammtwirkung, dieses unbedingt den Vorrang. Bis jetzt kann noch nicht
ernstlich die Rede davon sein, daß Stuttgart Leipzig überflügelt habe,
wohl aber hat Leipzig allen Grund auf der Hut zu sein, einer so hohe
Ziele verfolgenden Concurrentin gegenüber*).

     Weniger noch ist der Vergleich mit den Leistungen der Berliner
Pressen der Qualität nach zu scheuen. Die Berliner Buchdrucker
selbst bekennen freimüthig, daß die Kunst in Berlin lange schwer
darnieder lag. Theilweise ist das schon anders geworden und wird
noch ganz anders werden; daran ist kein Zweifel. Für den Augenblick jedoch hat Berlin nur wenige Anstalten aufzuweisen, die es im
Werkdruck mit den besten Stuttgarter oder Leipziger Officinen auf-
nehmen können. Am schnellsten sind die Fortschritte dort im Accidenzdruck gewesen und Berlin muß in dieser Branche naturgemäß Leipzig
bald überholen. Daß dies mit dem lithographischen Farbendruck,
dem Kunststich und dem Lichtdruck schon jetzt der Fall ist, wurde
bereits angedeutet. In diesen Fächern muß Leipzig noch theilweise
seine Zuflucht zu Berlin nehmen, wie Berlin seinerseits die typographischen Kräfte Leipzigs für sich in Anspruch nimmt. Nur große
Anstrengungen können Leipzig auf diesen Gebieten concurrenzfähig
machen**).

     Aus dem oben Gesagten geht bereits zur Genüge hervor, daß
mit der Behauptung: Leipzig fülle im Großen und Ganzen seinen
Platz als bibliopolisch-typographischer Vorort würdig aus, keineswegs

---

*) Schreiber dieses hat wiederholt, und ganz besonders als Berichterstatter der graphischen Jury-
gruppe der Wiener Weltausstellung 1873 in der Motivirung der Zuertheilung der goldenen Medaille
an die Stuttgarter Collectiv-Ausstellung öffentlich die Verdienste Stuttgarts so unumwunden anerkannt, und sich auch bei anderen Veranlassungen als ein so unbedingter Verehrer der Leistungen
der Firmen Kröner und Hallberger erklärt, daß wohl ein Verdacht, als sei er von einem besonderen
Localpatriotismus inspirirt, ausgeschlossen bleiben muß.

**) Zwei Berliner Institute, die beide, jedes in besonderer Richtung, Vorzügliches leisten:
die „kgl. Staatsbruckerei" und die frühere „Geheime Oberhofbuchdruckerei des Herrn v. Decker",
welche zum Nachtheile der Privatindustrie demnächst zu einer Reichsbuchdruckerei vereinigt werden
sollen, können, vermöge ihrer Subvasentstellung, nicht wohl mit gleichem Maße wie die Privatinstitute
gemessen werden.

auch damit die verbunden werden dürfe: es habe das Erreichbare bereits hinter sich und könne auf den gesammelten Lorbeern eine Zeitlang ausruhen. Nur die Ansicht sollte geltend gemacht werden, daß kein Grund vorhanden sei zu fürchten, daß Leipzig je aufhören werde, Vorort des Buchhandels zu bleiben, vorausgesetzt, daß bei den Ausübern der graphischen Künste der rechte Geist herrschend bleibt, oder in den Branchen, wo er noch fehlt, wachgerufen wird, und daß die Anstrengungen mit den gerechten Anforderungen des Buchhandels stets Schritt halten. Aber diese Anstrengungen müssen, und das kann ja nur im Interesse des Ganzen liegen, groß sein, denn die Anstrengungen Berlins und Stuttgarts werden Leipzig seine Aufgabe möglichst erschweren. Namentlich darf nicht übersehen werden, daß die Stellung Berlins zu dem Ganzen eine weit günstigere geworden, seitdem die Erhebung zur Reichshauptstadt die particularistische Stellung als Hauptstadt des Königreichs Preußen in den Hintergrund gedrängt hat.

Möge es daher gestattet sein, zum Schluß noch Einiges — wenn auch wenig Neues — anzudeuten, was für Leipzig erwünscht, oder nothwendig sein dürfte.

Als erste Pflicht der Buchdrucker Leipzigs muß wohl die Wiedereröffnung der Unterrichtsanstalt für Lehrlinge betrachtet werden, zu der eine so gute Grundlage gelegt war. Geschäftliche Verhältnisse während der Strikezeit 1873 motivirten zwar eine provisorische Schließung, nicht aber, daß diese, nachdem die Gründe dafür beseitigt sind, in eine permanente verwandelt wurde. Daß für die praktische Anleitung Vieles hier geschieht, soll nicht in Abrede gestellt werden; aber die Gelegenheit zur theoretischen Ausbildung darf daneben doch nicht fehlen. Die Buchhändler-Corporation Leipzigs mit ihrer Schule faßt in dieser Beziehung ihre Aufgabe von einem höheren Standpunkte auf. Ueber die Einrichtung einer solchen Unterrichtsanstalt für Lehrlinge herrschen sehr verschiedene Ansichten, kaum jedoch darüber, daß Etwas geschehen müsse. Die seitens Wien und Berlin inzwischen gemachten Erfahrungen werden vielfach maaßgebend sein können.

Um aber solche und ähnliche Zwecke im allgemeinen Interesse verfolgen zu können, dürfte es nothwendig sein, eine festere Form für den Verein der Buchdruckereien in Leipzig zu finden, welcher am 11. Juli 1876 an Stelle der früheren Innung trat. Dieser Local-Verein des deutschen Buchdrucker-Vereins, welchem eine bedeutende Anzahl Leipziger Firmen angehört, kann kaum als ein eigentliches

Band betrachtet werden. Selbst aber, wenn es noch dem Buchdrucker-
Verein gelingen sollte, seinem ursprünglichen Plane gemäß, annähernd
das für das typographische Gewerbe Deutschlands zu werden, was der
Börsen-Verein für den Buchhandel ist, würde auf Grund der besonderen Stellung Leipzigs ein kräftiger Ortsverein ebensowenig überflüssig sein, als die Leipziger Corporation durch den Börsen-Verein
unnöthig gemacht worden ist.

Noch isolirter als die Buchdrucker stehen die Ausüber der übrigen
graphischen Künste, und dürfte es vielleicht mit noch größeren Hinder-
nissen verbunden sein, diese zu besonderen, gut organisirten Corporationen
zu verbinden. Dagegen würde sehr Vieles dafür sprechen: alle Elemente
der graphischen Künste und Gewerbe in der Art, wie es der
Pariser Cercle thut, für gewisse allgemeine Zwecke zu vereinigen. Gerade in der Vereinigung Aller, durch welche sich Jeder
als Theil des Ganzen fühlen lernt, aber auch nur als Theil, über dem
das Ganze steht, liegt der Schwerpunkt einer solchen Vereinigung.

Buchhändler, Buchdrucker, Lithographen, Holzschneider, Schriftgießer, Lichtdrucker und Buchbinder haben sich friedlich in der fünften
Abtheilung der Leipziger kunstgewerblichen Ausstellung zusammen-
gefunden. Manches Gute wird zur Anschauung gebracht werden, aber
manches Erwünschte wird fehlen. Wie ganz anders würde eine solche
Schaustellung ausgefallen sein, wenn sie gemeinschaftlich durch einen
Gesammt-Verein, wie der Cercle, veranstaltet worden wäre, welch
letzterer auf allen Ausstellungen die höchste Ehre eingelegt hat. Man
wird durch die Ausstellung einsehen lernen, was durch Zusammenwirken Aller sich hätte erzielen lassen. Man wird die Folgen davon
herausfühlen, daß es am hiesigen Platze noch an Sammlungen und
Lehranstalten im größeren Stile fehlt.

Eben, weil das der Fall ist, würde eine solche Vereinigung ihr
Hauptaugenmerk auf Begründung von einem Museum für die
graphischen Künste zu richten haben. Für die Erwerbung der großen
Seltenheiten der typographischen Kunst sorgen die öffentlichen Bibliotheken, besonders aber das Germanische Museum. Die Bibliotheken
Leipzigs sind sowohl reich an solchen Schätzen als auch liberal verwaltet.
An ein, mit solchen Anstalten concurrirendes Institut soll nicht im Ent-
ferntesten gedacht werden; der Geldpunkt würde ja ohnehin einen solchen
Gedanken ausschließen. Was noththut, ist zunächst eine reiche Muster-
sammlung wirklich nachahmenswerther Drucksachen, Werke sowohl
als Accidenzien, Blätter in den verschiedensten graphischen Arten aus-

geführt, Vorlagen, die zur Verwendung anspornen, die jedoch in den
wenigsten Fällen zu den eigentlich theueren Seltenheiten gehören.
Im kleineren Maaßstabe hat die typographische Gesellschaft in Leipzig
einen recht beachtenswerthen Anfang gemacht. Ohne eine angemessene
Localität zum Ausstellen, resp. zum Anschauen, würde eine solche
Sammlung jedoch nur ein todter Schatz sein. An diese Sammlung
würden sich Modelle technischer Apparate, typographische Reliquien,
Jubelerinnerungen, Denkmünzen, Bildnisse u. dgl. passend anschließen.
Leider sind die technischen und persönlichen Reliquien aus der Vergangenheit der Typographie in Deutschland zum allergrößten Theile
bereits verloren gegangen und man wird kein Gegenstück zu dem
Plantin'schen Museum in Antwerpen beschaffen können. Um so er-
wünschter würde es aber sein, Alles, was sich noch in Privatbesitz befindet, und was wahrscheinlich nach und nach zu Grunde geht, wenn es
nicht in einer solchen Sammlung eine sichere Stätte findet, zu vereinigen.
Wie schmerzlich wird es gefühlt, daß nicht eine einzige Type aus Gutenbergs Zeit vorhanden ist, die alle die Streitfragen, die in der typographischen Literatur aufgeworfen wurden, mit einem Male beseitigen
könnte! Wie werthvoll wäre es zu wissen, wie Gutenbergs erste Presse
beschaffen gewesen! Wie lange wird es dauern und es findet sich kein
Buchdrucker, der noch eine hölzerne Presse und die Druckerballen
aus eigener Anschauung kennt! Wie Wenige giebt es jetzt schon, die eine
Vorstellung davon haben, wie Senefelders Presse oder König & Bauers
erste Druckmaschine construirt waren! Schon jetzt wissen Viele nicht,
wie eine Daguerreotypie aussieht. Und, um auch von den Erzeugnissen
des heutigen Tages zu reden, wie Wenige haben eine Ahnung z. B. von
der stufenweisen Entstehung eines Farbendruckes!

Mit der Sammlung von Vorlagen und Werken, die durch ihre
technische und künstlerische Ausführung und Ausstattung
bilden sollen, muß selbstverständlich auch eine Sammlung von Büchern
verbunden sein, welche nur durch den Inhalt fördernd wirken soll.
Diese Bibliothek dürfte sich keineswegs dieselbe Aufgabe stellen, wie die
Bibliothek des Vereins der deutschen Buchhändler es mit vollem Recht
thut, Alles zu sammeln, was je über das Fach gedruckt wurde, sondern
sollte nur Werke enthalten, welche der Ausbildung des Geschmacks und
der Verwerthung derselben für die Praxis dienen. Die Zusammensetzung
könnte deshalb auch gar nicht dem Zufall überlassen bleiben, sondern wäre
ein Werk der strengsten Auswahl. Die maaßgebenden Werke müßten
in mehreren Exemplaren vorhanden sein und die Benutzung durch ein

wohleingerichtetes Lesezimmer und liberale Verwaltung erleichtert
werden, damit nicht todte oder nur den Zwecken Einzelner dienende
Schätze gehäuft würden. Arbeiteten die Verwaltungen dieser und
der Bibliothek des Börsen-Vereins getreulich zusammen, so würde
Leipzig bald im Besitz eines wahrhaft fruchtbringenden Instituts sein,
während die letztgenannte Sammlung allein unmöglich den ganzen
Zweck wird erreichen können.

Hier liegen lohnende Aufgaben für eine Vereinigung der Kräfte vor!

————

Mit dem Obigen sind zwar die Ansprüche, welche an die nächsten
Interessenten erhoben werden können, ohne seitens derselben die Ein-
wendung hervorzurufen, dies gehe über die Kräfte der Einzelnen hinaus,
erschöpft. Dazu jedoch, daß Leipzig in Wahrheit das werde, was es so
oft genannt wird, und was es als Vorort auch sein sollte: die hohe
Schule für den Buchhandel und für die graphischen Künste,
gehört weit mehr.

Was die Wissenschaft an edlen Gaben darzubieten vermag, besitzt
Leipzig schon durch seine berühmte Universität mit den dazu gehörenden
Institutionen in einem so reichen Maaße, wie irgend eine Hauptstadt
Deutschlands. Weniger günstig ist es, wie öfters in dem Vorher-
gehenden hervorgehoben wurde, in Bezug auf Kunst und Kunstgewerbe
gestellt. Es fehlen hier die reichen Kunstsammlungen, ein großartiges
Institut für Kunstindustrie, wie es z. B. Wien aufzuweisen hat in seinem
„Museum für österreichische Kunst und Industrie", mit den berühmten
Lehrern wie Stock, v. Falke und Bruno Bucher, welche maaßgebend für
die Geschmacks-Richtung werden und von welchen auch die Jünger der
graphischen Künste Vortheil und geistige Nahrung ziehen können.
Solche Anstalten und Lehrer bilden zugleich das Publicum und die
Empfänglichkeit desselben für die besseren Leistungen, sie mehren das
bücherkaufende Publicum, um welches die deutschen Producenten die
französischen und englischen beneiden, und setzen sie in die Lage, dem
„Billig und Schlecht" ein Lebewohl auf Nimmerwiedersehn zuzurufen.

Anläufe sind zwar in Leipzig genommen und Manches ist hier
bereits mit kleinen Mitteln — es wurde z. B. schon auf den Einfluß
des Kunstgewerbe-Museums auf die Buchbinderkunst hingewiesen —
erreicht. Aber sehr Vieles bleibt noch zu thun übrig, was nicht lange
verschoben werden darf, wenn nicht die Jünger der graphischen Künste

in Betreff ihrer höheren Ausbildung hier einen weit schwereren Stand haben sollen, als ihre Collegen in den großen Kunststädten.

Zwar unterhält die Regierung eine Akademie der bildenden Künste in Leipzig und hat sogar in der jüngsten Zeit diese mit Lehrstühlen der Xylographie, der Lithographie und der Kupferstechkunst ausgestattet. Es kann durchaus nicht in der Absicht dieser Zeilen liegen, die Wirksamkeit der Akademie oder ihrer Lehrer in irgend einer Weise beurtheilen zu wollen. Es soll nur über ein Princip gesprochen werden. Es dürfte hier gehen, wie so oft, wenn man, wie es im gewöhnlichen Leben heißt, zwei Fliegen mit einer Klappe treffen will: sie entschlüpfen beide. Die angestrebte Vereinigung der Malerschule mit der Kunstgewerbeschule dürfte, weil die Vorbedingungen und die Ziele zu verschieden sind, keine glückliche sein, eben so wenig wie das Princip, mit den Lehrstühlen einen geschäftlichen Betrieb einzelner Zweige zu verbinden. Es ist ja nicht die Gelegenheit zu rein mechanischer Ausbildung eines Lehrlings in den technischen Einzelheiten, an der es in Leipzig fehlt, sondern an der Möglichkeit für den Ausgelernten gebricht es, seine geistigen Fähigkeiten über die eines gewöhnlichen Arbeiters hinaus auszubilden.

Der sogenannte Fortbildungs-Verein der Gehülfen hat, wie es auch gar nicht anders sein konnte, nur kägliche Resultate ergeben. Die Agitation für andere Zwecke, allenfalls ein Gespräch über das Geschäft bei einem Glase Bier, eine Bibliothek sehr gemischten Inhalts und, um den Namen einigermaßen zu retten, ab und zu ein Vortrag von irgend einem Gefälligen, damit war die Sache vorbei. Ein Verein mit ernsteren Zwecken ist die aus Principalen und Gehülfen bestehende typographische Gesellschaft. Eine wirkliche Reform an Haupt und Gliedern im Sinne der wahren Kunst darf aber von derselben billigerweise nicht verlangt werden. Die gemeinsame Schwäche aller solcher Vereine ist, daß die Angehörigen Aerzte und Kranke in einer Person sind. Es fehlen die, das Terrain vollständig beherrschenden Lehrer und Berather, die einsichtsvollen Führer durch die Irrwege des Geschmacks, kunstverständige Männer, welche die Praxis durch die Theorie läutern.

Was noth thut, will man wirklich höhere Ziele erreichen, ist, daß der Dilettantismus einem streng systematischen Unterricht in allem Dem, was dazu gehört, „das Buch als Kunstwerk*)" herzustellen, den Platz räumt. Es muß dem Weiterstrebenden nach

---

*) Es sei hier auf den, diese Ueberschrift tragenden Aufsatz Bruno Buchers in der „Deutschen Rundschau", Märzheft 1876, verwiesen.

bestandener Lehre die Möglichkeit gewährt werden, sich für eine künstlerische Auffassung seines Berufes vorzubereiten, seinen Blick zu erweitern, seinen Sinn für das Ideale — nicht zu verwechseln mit dem Unpraktischen — zu wecken, ein Sinn, der sich in jedem Beruf geltend machen kann und soll. Er muß in die Lage versetzt sein, an der Hand Dessen, was ein Museum, resp. permanente oder temporäre Muster-ausstellungen ꝛc. an Bildungsmaterial bieten, durch Vorträge belehrt und aufgeklärt werden zu können. Aber die Abhaltung solcher Vorträge darf nicht dem Zufall überlassen bleiben, sie muß sich in einem streng systematisch angelegten Cyklus bewegen, so daß der Lernbegierige Gelegenheit hat, einen vollständigen, vielleicht zweijährigen Curfus durchzumachen, oder in einzelnen Richtungen seine Kenntnisse zu erweitern und somit die Befähigung für die besseren Stellungen oder für den eigenen Betrieb des Geschäftes zu erwerben. Wird die Gelegenheit geboten, durch eine öffentlich abzulegende Prüfung die erworbenen Fähigkeiten zu documentiren und ein gutes Zeugniß zu erhalten, so würde die Erlangung solcher Stellungen den Betreffenden sicherlich sehr er-leichtert werden. Ebenso ist anzunehmen, daß die vielen Principal-söhne, welche als Volontäre einige Zeit in Leipzig zubringen, eifrige Besucher einer wohl eingerichteten Hochschule der graphischen Künste werden würden, ja, daß der Zufluß derselben sich zu einem noch weit größeren gestaltet, je größer die Gelegenheit zur Ausbildung wird. Es wird dies dazu beitragen, das Band, welches Leipzig mit dem Gesammt-buchhandel verknüpft, noch enger zu ziehen.

Selbstverständlich könnte die Ausbildung nicht ohne Entgelt gewährt werden, doch müßte dieses, wenn der Zweck erreicht werden soll, für Unbemittelte ein sehr mäßiges sein. Jedenfalls würden die Einnahmen nicht genügen, um die Kosten zu decken, und nicht unbe-deutende Opfer nothwendig werden, denn die ins Auge zu fassenden Lehrkräfte sind nicht zu Dutzenden zu haben und müßten grundsätzlich gut bezahlt werden. Auch die Beschaffung der nothwendigen Locali-täten und Lehrmittel würde Opfer erfordern, die den Corporationen nicht zugemuthet werden könnten. Stadt und Staat dürften nicht scheuen, ein vorläufiges Opfer zu bringen, welches jedoch reichliche Zinsen tragen würde. Sind doch der Buchhandel und alle die sich um ihn gruppirenden Kunstzweige nicht blos schmückende Perlen in der Krone Sachsens, sondern emsig für Stadt und Staat schaffende Factoren. „Leipzig nimmt im Welthandel die erste Stelle ein im Buch- und Musikhandel; die erste Stelle im Deutschen Reich in der Buch-

druckerei, Notenstecherei und Buchbinderei", so sagt ein eben von dem
Rath der Stadt Leipzig herausgegebenes statistisches Werk. Eben deshalb
eignet sich aber auch Leipzig vorzugsweise für die Concentration der
auf Ausbildung der graphischen Fächer zielenden Institutionen, denn in
Bezug auf diese ist Leipzig vollkommen die Großstadt, in der alle
Vorbedingungen, welche allein einer kunstgewerblichen Bildungsanstalt
Lebensfähigkeit verleihen, vorhanden sind. Die Königlich Sächsische
Staatsregierung erkennt vollständig den Werth der Concentration des
Buchhandels in Leipzig an, welche uns diesem eine Art eigener literarischer
Hauptstadt Deutschlands geschaffen hat. Es unterliegt wohl kaum einem
Zweifel, daß sie ein offenes Ohr haben würde, wenn die graphischen
Corporationen in Leipzig ernstlich die Initiative ergreifen, in Betreff
von Vorschlägen, welche darauf hinzielen, daß Leipzig in vollem Um-
fange seinen Platz als Vorort ausfülle.

Damit aber Leipzig diesen Platz ausfülle, ist auch der Platz im
räumlichen Sinne erforderlich.

Das Gebäude, welches, als es im Jahre 1836 von dem Börsen-
verein der deutschen Buchhändler errichtet wurde, bei Manchem ein
Kopfschütteln ob seiner Größe veranlaßte, hat sich schon als zu klein
erwiesen. Die Bestellanstalt für Buchhändlerpapiere und die Lehranstalt für Buchhändlerlehrlinge haben schon auswandern müssen.
Soll die Bibliothek ihren Zweck vollständig erfüllen, werden auch
für diese Nebenräume nothwendig werden. Der kleine Saal hat sich
schon längst als unzulänglich für zweckmäßige Ausstellungen erwiesen,
und der große Saal ist dadurch, daß er für etwa acht Tage während der
Ostermesse für die Abrechnung in Anspruch genommen wird, für den
Ausstellungs-Zweck nicht zu verwenden. Die Redaction und Expedition
des Börsenblattes dürften ebenfalls nirgends passender untergebracht
sein, als im Börsenlocal. Schon jetzt taucht deshalb hie und da der
Gedanke auf, das jetzige Gebäude durch ein größeres in der eigentlichen
„Buchhändlerlage" zu ersetzen und die Ausführung des Gedankens
dürfte wohl nur eine Frage der Zeit sein. Sie wird dadurch gefördert
werden, wenn auch die Corporationen der übrigen Gewerbe, die sich
dem Buchhandel anschließen, für die obenerwähnten Institutionen, die
hoffentlich nicht lange auf sich warten lassen werden, Räume suchen
müssen.

Dr. van der Linde sagt in seinem soeben erschienenen verdienst-
vollen Werke über Gutenberg und die Erfindung und Geschichte
der Typographie: „Alles zusammengenommen existirt noch kein, der

Erfindung der Typographie entsprechendes Monument. Gleichwie das nächste Jahrhundert bei seiner Säcularfeier den schlüpfrigen Boden der Sage zu verlassen und sich auf den Felsen der Geschichte zu stellen, d. h. das erste halbe Jahrtausend der Typographie 1450—1950 zu feiern hat, so errichte auch das neuerstandene Deutsche Reich, entweder in seiner politischen Hauptstadt Berlin, oder in seiner typographischen Hauptstadt Leipzig, ein großartiges, alle Kleinkrämerei beschämendes Gutenbergmonument".

Wer möchte nicht gern mit dem Verfasser wünschen, daß dieser Gedanke sich einstens realisire. Wo wäre aber ein würdigerer Platz für ein solches Denkmal, als vor dem monumentalen Gebäude, welches im Jahre 1950 sicherlich die Institute alle umfaßt, welche Leipzig als Vorort und Hohe Schule des Buchhandels und der graphischen Künste zu jener Zeit besitzen wird!

Personen-Register.

11

11*

Literarische Anzeige.

Im Verlage der Unterzeichneten ist soeben erschienen und durch alle Buchhandlungen zu beziehen:

Die

Herstellung von Druckwerken

Praktische Winke

für

Autoren und Buchhändler

von

Carl B. Lorck.

Dritte, umgearbeitete und vermehrte Auflage,

welche soeben im unterzeichneten Verlage erschien, beabsichtigt, wie auch der Titel und die folgende Inhaltsübersicht besagen, nicht ein Handbuch für Buchdrucker zu sein, sondern den mit diesen Verkehrenden, also namentlich Autoren und Verlegern, als Hülfsmittel eines leichteren Verkehrs zu dienen. Daß der Verfasser, ein bekannter und langjähriger Praktiker als Verleger und Buchdrucker, seine Absicht vortrefflich erreicht hat, dafür sprechen sowohl die Nothwendigkeit einer dritten Auflage wie auch die umstehend abgedruckten Stimmen der Presse. Die vorliegende Auflage ist durch die historische Einleitung und durch das Capitel: „Wie kann der Autor zur Billigkeit des Druckes beitragen?" vermehrt, die übrigen Capitel sind, soweit es veränderte Geschäftsverhältnisse nothwendig machten, umgearbeitet.

Das Buch ist auf extra feinem, eigens dazu angefertigtem holländischen Handpapier gedruckt und kostet elegant gebunden 5 Mark.

Leipzig, 1879.

Verlagsbuchhandlung von J. J. Weber.

Inhaltsübersicht umstehend.

Inhaltsübersicht.

Stimmen der Presse über die erste und zweite Auflage.

Wir begrüßen diese Schrift mit wahrer Freude und sind überzeugt, daß dieselbe wirklich Autoren, Verlegern und überhaupt Allen, welche irgend ein Interesse an der Entstehung von Druckwerken nehmen, eine willkommene Gabe sein wird. Jeder, der ein Buch zu ediren unternimmt, sollte fortan sich zunächst in diesem Büchlein orientiren. Den Gelehrten wird auch die reiche Sammlung von Schriftproben der verschiedensten Völker und Sprachen noch von besonderem Interesse sein. — Der Stil ist klar, anspruchslos und nichts weniger als trocken, so daß das Buch eine angenehme Lectüre bietet. Die typographische Herstellung desselben ist die beste Illustration zu dem Texte und zeugt dafür, daß hier Theorie und Praxis Hand in Hand gehen.   (Altenb. Centralblatt.)

Wir hatten uns nicht getäuscht, als wir diesem Buche ein günstiges Prognostikon stellten. In wenigen Monaten ist dasselbe vergriffen gewesen und bereits liegt uns eine neue und verbesserte Auflage vor. Der Erfolg konnte allerdings nicht zweifelhaft sein. — Wir meinen, jeder Drucker, jeder Verleger sollte darauf halten, daß der Schriftsteller, mit dem er in Verbindung tritt, zunächst genaue Kenntniß nähme von dem vorliegenden Buche.   (Altenb. Centralblatt.)

Ich selbst habe alles Das, was bei der Herstellung von Druckwerken in Frage kommt, genauer kennen gelernt, aber ich muß gestehen, daß der Verfasser es wohl verstanden hat, das Bekannte von solchen Gesichtspunkten aus zu zeigen, die den Gegenstand in zum Theil noch neuem Licht erblicken lassen. Ich für meine Person bekenne gern und willig, aus dem Werkchen, welches ich mit wahrem Interesse gelesen, vieles Neue gelernt zu haben.   Bibliothekar Dr. Ant. Petzholdt. (Allg. Anz. für Buchh.)

Carl B. Lorck hat von seinem vortrefflichen Werkchen eine zweite Auflage erscheinen lassen. Der Umstand, daß sich im Laufe Eines Jahres neben der ersten Auflage noch eine zweite nöthig gemacht hat, ist der beste Beweis für die allseitige Anerkennung, die dem Buche, in welchem Theorie und Praxis im schönsten Einklange Hand in Hand gehen, gebührender Maßen zu Theil geworden ist.
(Petzhaldt, Neuer Anz.)

Lange sehnlich erwartet, von berufenster Feder verfaßt, erscheint dieses treffliche Handbuch allen Autoren, Verlegern, Correctoren und solchen, die es werden wollen, zu Nutz und Frommen. Mit sorgsamer Ausführlichkeit, eingehender Anschaulichkeit und der löblichen Absicht, der Unkenntniß des Technischen, der man bei deutschen Autoren häufig begegnet, von Grund aus abzuhelfen, vereinigt das Buch in der Typenschau Vielseitigkeit des Gebotenen.
(Bl. f. liter. Unterh.)

Dieses schon im vorigen Jahre erschienene werthvolle kleine Büchlein kann denen, für welche der Verfasser es auf dem Titel bestimmt hat, bestens empfohlen werden, weil es in präciser Zusammenfassung eine Fülle wichtiger Kenntnisse enthält, die praktisch nur mühsam und allmälig und gewöhnlich erst nach Zahlung einiger Lehrgelder erworben werden. Der Verfasser hätte neben den Autoren und Verlegern noch eine dritte Kategorie von Lesern namhaft machen können, und zwar diejenige, welche vielleicht am meisten bei ihm zu lernen hat: die der Journalisten, denen die correcte „Herstellung von Druckwerten" die meiste Noth macht und die mit den Schwierigleiten derselben täglich zu kämpfen haben. (Grenzboten.)

Durch die Herausgabe dieses Buches ist uns Autoren ein unendlich wichtiger Dienst geleistet und ich gestehe ehrlich und gern, daß ich vieles daraus gelernt habe, was ich als künftige Richtschnur beim Manuscript oder bei den Correcturen gewissenhaft benutzen werde. Ich denke, daß jeder vernünftige Schriftsteller meine eigene Meinung theilen wird. Heinr. Beugieß-Bey.

Nachdem das Lorck'sche Buch „Die Herstellung von Druckwerken" erschienen und in meisterhafter Weise seine Aufgabe, Buchhändler und Schriftsteller einzuweihen zum Eintritt in den Tempel der Sancta Typographia, gelöst hat, ist es schon an und für sich ein gewagtes Unternehmen, so kurze Zeit nachher dasselbe Feld bebauen zu wollen und es sind nur zwei Wege denkbar, auf denen dies mit Erfolg geschehen könne: entweder man muß den fraglichen Gegenstand noch mehr zusammendrängen und nur in kurzen kräftigen Zügen zeichnen, wobei man aber in Gefahr geräth, in eine allzu aphoristische und deshalb ungenügende Behandlungsweise zu verfallen, oder man muß noch ausführlicher sein wie Lorck, und hier würde es gelten, die gefährliche Klippe allzugroßer Weitschweifigkeit mit Geschick zu umsegeln, um nicht auf dem einförmigen Strande der Gemeinplätze und der Langenweile aufzulaufen.
Th. Goebel. (Journal f. Buchdr.)

Diese Schrift verdient nochmals in Erinnerung gebracht zu werden, da sie nicht blos für Autoren und Verleger, sondern für jeden Buchhändler Interesse hat, denn auch die bloßen Sortimenter, wie ihre Gehilfen und Lehrlinge, sollten sich wohl darum kümmern, wie die Waare entsteht, die sie täglich unter den Händen haben.
Fr. Frommann. (Börsenbl. f. d. deutsch. Bchh.)

Das Buch wird seinen Zweck, Autoren, Verlegern und Correctoren zu dienen, vortrefflich erfüllen, wenn diese es kaufen, lesen, und in Fällen der Unsicherheit und Rathlosigkeit als Leiter und Rathgeber benutzen.
G. E. Barthel. (Bürkwbl. f. d. deutschg. Bhpl.)

Ein sehr schätzenswerthes Buch, wie es längst hätte existiren sollen. Mögen unsere Collegen im Verlag zuerst es nicht versäumen, dasselbe kennen zu lernen.
Th. Fleschig. (Süds. Buchg.-Ztg.)

Wir freuen uns aufrichtig, daß von diesem Buche so bald eine zweite Auflage nöthig geworden. Ein thatsächlicher Beweis, daß der Verfasser einem wirklichen Bedürfnisse entgegenkam. Und wir hoffen, es werde bei dieser zweiten Auflage auch nicht bleiben. — Wir glauben sicher, aus dem Studium dieser Schrift allen Collegen so viel Genuß als Belehrung versprechen zu dürfen. (Südd. Buchh.-Ztg.)

Eine sorgfältige und das vorgesteckte Ziel bis in die kleinsten Details verfolgende und erschöpfende Arbeit. — Die Typenschau ist mit Rücksicht auf den Zweck des Buches das Beste und Praktischste, was ich je gesehen. — Das Buch hilft wirklich einem Bedürfnisse ab und verdient in der That nur angelegentlich empfohlen zu werden. (Tg. Küster. (Journ. f. Buchdruckerkunst.)

Wir haben die Besprechung dieses Werkchens etwas ausgedehnt, weil wir es für ein unbestreitbares Verdienst des Verfassers hielten, damit eine Angelegenheit besprochen zu haben, welche, wenn sie nur richtige Anerkennung und verdiente Verbreitung findet, für die gesammte Buchdruckerwelt von nicht zu unterschätzendem Vortheil sein dürfte. (Der Correspondent f. Buchdrucker.)

Wohl selten hat ein Buch mehr Anspruch auf das schon oft zur Persiflage gewordene Sprichwort: „daß es einem längst gefühlten Bedürfniß abgeholfen" zu machen, als das oben angeführte. Der Verfasser bezeichnet es als „Praktische Winke für Autoren und Verleger"; er hätte meiner Ueberzeugung nach hinzusetzen sollen „sowie für Buchdrucker und alle mit den graphischen Künsten Beschäftigte". (Lithographia.)

Das Buch beruht auf den vielseitigen Kenntnissen, welche der Verfasser während eines längeren Geschäftslebens als Buchhändler und Buchdrucker gewonnen hat, und da er stets ein offenes Auge und einen ungewöhnlichen Sinn für typographische Arbeiten gehabt hat, so konnte er in dem Notizbuch seines Lebens eine Masse von kleinen Aufzeichnungen sammeln, welche hier, als ein wohlgeordnetes Ganze gestaltet, vorliegen. (Nordw. Buchh.-Ztg.)

Ueber die jetzt erschienene dritte Auflage sprachen sich ebenfalls bereits mehrere der angesehensten Fachorgane anerkennend aus; die Neue Freie Presse sagt: In dritter Auflage ist im J. J. Weber'schen Verlage zu Leipzig ein Buch erschienen, dessen Nützlichkeit und Wichtigkeit für weite betheiligte Kreise eine unbestreitbare ist. Es ist das bereits durch die früheren beiden Auflagen auf das vortheilhafteste bekannt gewordene Schrift: „Die Herstellung von Druckwerken. Praktische Winke für Autoren und Buchhändler, von Carl B. Lorck". Wir begrüßen deren Wiedererscheinen mit aufrichtiger Freude und sind überzeugt, daß sie auch fernerhin nicht nur Schriftstellern und Verlegern, sondern überhaupt Allen, welche ein Interesse an der Entstehung von Druckwerken nehmen, also auch Buchdruckern und den mit graphischen Künsten Beschäftigten eine willkommene Gabe sein wird. In den drei Hauptabschnitten: „Die Technik der Buchdruckerkunst", „Praktische Winke für die Herstellung eines Druckwerkes", „Die Schriften und ihre Anwendung" behandelt das Buch alle einschlägigen Fragen mit musterhafter Klarheit und Gediegenheit, und es dürfte kaum Eine derselben geben, auf welche nicht die Antwort darin zu finden wäre. Dabei ist es knapp in der Form und im Ausdrucke, vermeidet also jede unnütze Weitwendigkeit; der Stil ist trotzdem nichts weniger als trocken, so daß das Buch auch eine angenehme Lectüre bildet. Jeder, der ein Werk zu ediren unternimmt, sollte fortan zunächst sich in diesem Buche orientiren. Dem Gelehrten wird auch die reiche Sammlung von Schriftproben der verschiedensten Völker und Sprachen noch von besonderem Interesse sein. Vermehrt ist die vorliegende dritte Auflage durch die Einleitung: „Zur Geschichte der Buchdruckerkunst" und das Capitel „Wie kann der Autor zur Billigkeit des Druckes beitragen?" — Beides sehr lesenswerthe Aufsätze. Die typographische Ausstattung ist eine musterhafte, des Verlegers und der berühmten Officin Drugulin in Leipzig würdige.

Druck von W. Drugulin in Leipzig.

9 783750 120884